Mitología romana

Mitos romanos fascinantes sobre dioses y diosas romanos, héroes y criaturas mitológicas

Índice

Introducción

La mayoría de estudiantes de mitología saben que el conjunto de mitos romanos son muy cercanos a los de Grecia. El panteón romano era esencialmente similar al griego, aunque los nombres de los dioses y diosas eran diferentes. Por ejemplo, el Zeus griego es el Júpiter o Jove romano, y el Hermes griego es el Mercurio romano. En Roma, Afrodita se convierte en Venus y Ares, en Marte, y a la poderosa Hera de los griegos, al otro lado del Adriático se la conocía como Juno.

De todas formas, la religión romana no empezó así. La superposición de los mitos griegos es un añadido posterior, y nunca suplantó a la religión romana original, cuyos inicios se atribuyen a Numa Pompilio, sucesor de Rómulo y segundo rey de Roma. Por ejemplo, Jano, el dios de las puertas bicéfalo, era una deidad eminentemente romana, y su templo en el Foro romano, que supuestamente fue construido por Numa, era uno de los más importantes. Vesta, la diosa del hogar y del fuego, es otro buen ejemplo de esta distinción entre los ritos griegos y romanos, a pesar de que Vesta tenía una equivalente en la griega, Hestia. Esto se debe a que el culto a Vesta era una parte central de la religión del estado por medio del nombramiento de muchachas vírgenes de familias patricias para que sirvieran en el templo de la diosa del Foro de Roma y a través de la función de la diosa como protectora del pueblo romano.

Los vínculos entre la religión y el estado, y entre la religión y la historia, se entremezclan a menudo con los propios mitos, algunos de los cuales se escribieron, al menos en parte, como un servicio al estado romano. El poema épico de *La Eneida*, del poeta romano Virgilio, no solo proporcionó una seudo-historia de los primeros días de Roma: también sirvió para legitimar el gobierno de los emperadores de la dinastía Juliana, cuyo linaje partía de Julo (Ascanio), hijo de Eneas, el líder de los troyanos tras la caída de Troya. La misma historia de la fundación de Roma protagonizada por Rómulo y Remo también cautivaba la imaginación de los romanos de esta manera, y los primeros historiadores, como Livio (Tito Livio Patavino, 64-59 AEC- 12-17 EC), y el propio pueblo romano la veían como un hecho histórico real.

Por lo tanto, este texto presenta tres de los mitos fundacionales de Roma más importantes: una versión de la *Eneida*, la historia de Rómulo y Remo y la historia del rapto de Lucrecia, un incidente que supuestamente desencadenó la revuelta contra la monarquía romana primigenia y causó el nacimiento de la Primera República, que puede haber estado basado en eventos y personajes históricos reales.

Al igual que los griegos, los romanos también disfrutaban con las historias de héroes. Hazañas de fuerza e ingenio, intervenciones divinas y figuras míticas que superan problemas imposibles: todas estas cosas aparecen en la segunda parte, donde se cuentan versiones de las historias de Hércules, Atalanta y Jasón. El primero de ellos es un cuento netamente romano en el que se relata un viaje adicional que Hércules hizo supuestamente al Lacio, la región en la que se levantó Roma, mientras estaba ocupado con sus doce trabajos. Las historias de Atalanta, una cazadora tan esquiva que ningún hombre podía ganarle en las carreras, y de Jasón, que con los Argonautas se fue a la Cólquida a buscar el Vellocino de Oro, aparecen en los mitos griegos, pero los mitógrafos romanos crearon versiones sobre ellas, como las de Ovidio (Publio Ovidio Nasón, 43 AEC- 17/18 EC) y Valerio Flaco (Gayo Valerio Flaco, fall. 90 EC).

Uno de las compilaciones más importantes de los antiguos mitos grecorromanos es las *Metamorfosis* de Ovidio. En la tercera parte de este libro hay una selección de historias de esta colección. Tal y como Ovidio cuenta en su introducción, su objetivo fue contar historias de transformación, de cambio de forma y sobre las maneras en las que el contacto con lo divino altera la experiencia humana. Su colección empieza con la historia de la Creación y de la Gran Inundación, las cuales cambiaron el universo al completo en primer lugar, y después lo hicieron con el mundo creado en oleadas de creación, destrucción y recreación. Otras historias tratan de mortales que se convierten en otras criaturas, normalmente como consecuencia del *hubris*, o del orgullo excesivo, el cual debe ser castigado por los dioses.

Las historias de amor trágico también son una parte importante de las *Metamorfosis*, y como otros relatos de aquella colección, tuvo una impronta duradera en la cultura occidental. La historia de Orfeo y Eurídice sirvió de inspiración para los compositores del Renacimiento para experimentar con nuevas maneras de crear música, pues buscaban lo que entendían como el poder perdido de la música para generar efectos mágicos en el mundo físico y en los seres humanos. Por su parte, la historia de Píramo y Tisbe fue la base para el *Romeo y Julieta* de Shakespeare. El hecho de que aún hoy en día sigamos disfrutando, no solo de las historias basadas en estos mitos, sino de estos mismos mitos, es una prueba de su capacidad imperecedera para iluminar la experiencia humana.

PRIMERA PARTE: TRES MITOS SOBRE EL ORIGEN DE ROMA

Las andanzas de Eneas

La Eneida*, un poema épico del escritor romano Virgilio (Publio Virgilio Maro, 70-19 AEC) versiona uno de los mitos fundacionales de Roma, ciudad que debe sus orígenes a la llegada de Eneas, príncipe de Troya, y otros refugiados de la Guerra de Troya, los cuales conquistaron al pueblo local y cuyos descendientes Rómulo y Remo terminaron fundando la ciudad de la que surgió el Imperio romano. Por lo tanto, los mitos de Eneas y de la fundación de Roma también otorgaron vínculos con los dioses a la dinastía de emperadores Julianos, ya que estos afirmaban que eran descendientes directos de Eneas a través de su hijo Ascanio, quien también era conocido como Julo (de ahí el nombre de la familia "Juliana"), toda vez que se suponía que el propio Eneas era hijo del humano Anquises y la diosa Venus. Así pues, la épica de Virgilio no solamente es una de las glorias de la literatura antigua, sino que a su vez es un documento* *político cuyo objetivo era dar legitimidad al gobierno de los primeros emperadores romanos.*

Con la muerte de Virgilio, la Eneida *quedó inacabada. El poeta había pedido que se quemara su manuscrito inédito, pero el emperador Augusto (63 AEC- 14 EC) ordenó que dos de los amigos de Virgilio publicaran lo que había dejado escrito. Hicieron como se les mandó, y aparentemente dejaron el trabajo original de Virgilio en su mayor parte sin publicar. Tal y como está escrito, el poema acaba de una manera muy brusca, con la muerte de Turno. Es posible que Virgilio deseara escribir más a partir de esa escena, pero sus amigos prefirieron no alargar el poema.*

La huida de Troya

Mucho han cantado las Musas el conflicto entre los griegos y Troya, las batallas luchadas por el gran Aquiles, el ingenio del astuto Ulises. Y también cantan las musas sobre las hazañas del poderoso Eneas, príncipe de Troya, que lideró lo que quedaba de aquel orgulloso pueblo a puerto seguro tras la caída de su ciudad y comenzó el trabajo que creó la gloria que fue Roma.

Durante diez largos años, las huestes de Agamenón hostigaron las puertas de Troya, buscando vengar el rapto de Helena del hogar y el solar del espartano Menelao, y durante diez largos años, Héctor y sus valientes troyanos mantuvieron a los griegos alejados, hasta que el caballo hueco del embaucador Ulises, con su vientre lleno de griegos expectantes y armados para la masacre, fue introducido en la ciudad por troyanos jubilosos, quienes creían que era un regalo de los mismos dioses. Ya de madrugada, el caballo liberó su cargamento letal, y Troya fue saqueada por griegos sin compasión que estaban cansados de la interminable contienda.

Eneas, héroe de Troya e hijo del noble Anquises y la diosa Venus, yacía en su lecho, así como toda su casa. Al principio no oyó el bramido que aumentaba por momentos, pues su casa estaba en la linde de la ciudad, lejos del lugar elevado donde se alzaba el caballo.

De repente, Eneas se despertó para ver la sombra de Héctor, el más grande de los guerreros troyanos, asesinado por el poderoso Aquiles, al borde de su cama, diciendo:

— ¡Ay, ay del pueblo de Troya! Nuestra inconsciencia nos ha traicionado y Troya ha caído. ¡Levanta, Eneas; reúne a tu casa y huye de la ciudad, pues Troya está perdida!

Eneas se armó con premura y corrió hacia el centro de la ciudad, pero su valor no sirvió de nada. El rey Príamo ya había sido asesinado y el palacio estaba siendo pasto de las llamas. La reina Hécuba y las mujeres de la casa real ya habían sido tomadas prisioneras. Los ciudadanos troyanos ya estaban yaciendo sin vida donde los griegos les habían dado muerte en la batalla, y las calles estaban manchadas de carmesí con su sangre. Mientras Eneas se lamentaba, su madre divina se le apareció y le dijo:

— ¡Hijo mío, reúne a tu casa y abandona la ciudad! Troya está perdida: los propios dioses se han vuelto en contra de ella. Toma las personas que puedan quedar y guíalas a un lugar seguro.

Eneas volvió a casa corriendo, donde despertó a su esposa Creúsa y a su hijo pequeño, Ascanio. Se echó a su anciano padre a sus espaldas y condujo a su familia hacia las puertas de la ciudad. Pero Creúsa se perdió entre el río de personas que se apuraban para escapar de la ciudad en llamas, y cuando Eneas se giró para hallarla, se encontró con su sombra, que le dijo:

— No me busques, Eneas, pues me perdí para siempre. En lugar de eso, márchate fuera de la ciudad. Conduce a los troyanos que quedan a un lugar seguro, pues los dioses han decretado que es tu destino y el suyo vagar por el mundo para encontrar una nueva morada. Debes encontrar un lugar al oeste, donde el río Tíber fluye por las fértiles llanuras de Hesperia. Allí hallarás un nuevo reino, y una nueva esposa que será tu reina.

Llorando por la pérdida de su amada Creúsa y por el saqueo de su ciudad, Eneas se giró hacia el lugar donde había dejado a Anquises y a Ascanio. Les dijo lo que había sucedido y, reuniendo a sus paisanos que habían logrado escapar de los saqueadores griegos, les condujo a la seguridad de las faldas del monte Ida, donde pasaron el invierno. A la primavera siguiente, Eneas y los troyanos que quedaban partieron en un barco, dejando atrás para siempre su patria para buscar el lugar que Creúsa le había dicho que sería su nuevo hogar.

En un primer momento llegaron a Tracia, donde pensaron en fundar una nueva ciudad. Sin embargo, les persiguieron malos augurios, y una vez más, se hicieron a la mar. Navegaron, pues, rumbo a Delos, donde Eneas fue al templo de Apolo para ofrecerle un sacrificio y buscar la sabiduría del oráculo que allí se hallaba. El oráculo le dijo que debía buscar la antigua patria de su gente, donde los hijos de Troya prosperarían y los hijos de Eneas gobernarían como reyes.

Al no saber a qué tierras se refería el oráculo, Eneas volvió a su barco y le pidió consejo a su anciano padre.

—Cuenta la leyenda que nuestra gente llegó a Troya desde Creta, — le dijo Anquises. —Es una isla noble, buena para vivir, y no está lejos para llegar a ella por mar.

Y dicho esto, los troyanos se dirigieron a Creta. Desembarcaron allí y comenzaron a construir una ciudad. Araron la tierra y criaron sus rebaños de vacas y ovejas, y durante un tiempo pareció que habían hallado un nuevo hogar. Sin embargo, la plaga se cebó con el pueblo, y la peste con el ganado, y sus cosechas se echaron a perder.

—Este es el juicio de los dioses, — le dijo Anquises a Eneas. —Interpretamos mal al oráculo; Creta no está destinada a ser nuestro hogar. Vuelve mañana a Delos y pregunta qué quiso decir.

Pero aquella noche, los dioses troyanos se le aparecieron a Eneas en un sueño, diciéndole:

—El lugar al que debes ir se encuentra al oeste. Los griegos lo llaman Hesperia, pero la gente que vive allí lo llama Italia. Tu ancestro Dárdano nació allí; esa es la morada que buscas. Por decreto del propio Júpiter, Creta te está negada.

Una vez más, Eneas y su gente izaron velas, en esta ocasión para ir al oeste tal y como los dioses habían dispuesto. Los vientos en contra les desviaron de su rumbo, y cansados de luchar con los cabos y la caña del timón, arribaron a una isla desconocida. Tras atracar los barcos en la playa, los troyanos exploraron los prados que se extendían hacia el interior, y observaron que era un lugar rico con muchas vacas y ovejas. Eneas y su gente abatieron a muchas de las bestias y las asaron, pero antes de que pudieran dar su comida por concluida, los troyanos fueron asaltados por una bandada de arpías enfurecidas, criaturas con cabeza y pecho de mujer, pero con alas y espolones de ave. Las arpías se lanzaban como dardos por aquí y por allá, ensartando la carne en sus espolones y escapando con ella, graznando todo el tiempo.

Los troyanos se prepararon otra comida, pero esta vez empuñaban sus relucientes espadas, puesto que sospechaban que las arpías retornarían. En efecto, las arpías retornaron, embriagadas por el aroma de la carne asada. Sin embargo, los troyanos estaban preparados para resistirlas: les asestaban espadazos a las arpías, y aunque no pudieron dañarles ni una sola pluma a estas viles criaturas, evitaron que se apropiaran de la comida y se la llevaran. Viendo que sus esfuerzos eran en vano, las arpías alzaron el vuelo, pero no antes de que su líder profetizara a los troyanos que ciertamente encontrarían su hogar en Hesperia, pero que primero sufrirían la hambruna en sus propias carnes.

Los troyanos siguieron navegando hacia Epiro, donde les dio la bienvenida Heleno, un troyano que había escapado de la destrucción de la ciudad y se había convertido en rey de Epiro. Eneas y sus compañeros se regocijaron de verle sano y fuerte, y de enterarse de que Andrómaca, viuda del noble Héctor, también había escapado de la masacre y era ahora la esposa de Heleno.

Tras descansar por un tiempo en Epiro, Eneas y los troyanos izaron velas de nuevo, dirigiéndose siempre hacia el oeste, hacia Italia. Hicieron un alto en el camino en la isla de Sicilia, donde rescataron a un compañero de Ulises al que habían dejado atrás por error cuando los habitantes de Ítaca escaparon del cíclope Polifemo y sus hermanos. Los troyanos escaparon de aquel lugar de muerte sin incidentes, y navegando hacia el otro extremo de la isla arribaron a Drepana. Sin embargo, su estancia en Drepana no estuvo exenta de pesares, pues fue allí donde el anciano Anquises murió. Eneas y sus compañeros celebraron el sepelio de Anquises con juegos y sacrificios, como era costumbre, y después de ello, prosiguieron su viaje.

En un primer momento, los troyanos tuvieron buen viento. El barco saltaba suavemente de ola en ola, las velas hinchadas y llenas de la brisa que soplaba. Juno se asomó desde el Olimpo y vio que los troyanos se acercaban a puerto seguro en el lugar que les había sido prometido, y se disgustó por ello. Juno no sentía ningún aprecio por los troyanos, ya que Paris le había denegado el título de la diosa más bella, escogiendo a Venus en su lugar; pero aún era peor que ella supiera que Eneas estaba predestinado a fundar una ciudad más grande incluso que Cartago, donde a Juno se la tenía en la más alta estima, razón por la cual contaba con su favor. Tras llamar a Eolo, dios de los vientos, Juno ordenó que enviara vientos para alzar una tempestad que quebrara los barcos de los troyanos y los alejara para siempre de las costas de Italia. Eolo hizo tal y como mandó Juno, y Eneas y sus compañeros pronto se vieron lanzados a una tormenta, la cual temían que rompiera todos sus barcos.

Como los vientos bramaban y las olas lanzaban los barcos troyanos de un lado a otro, Neptuno, el dios del mar, miró arriba y vio que alguien había convocado una tempestad en su reino, y supo que los troyanos estaban en peligro de muerte. Además, los troyanos habían rendido pleitesía a Neptuno con grandes honores desde siempre, y Eneas estaba entre los favoritos de aquel dios. Calmó las aguas, y le ordenó a Eolo que apaciguase los vientos. Sin embargo, el trabajo de Juno estaba hecho, siquiera por un tiempo: Eneas y sus compañeros habían sido arrojados por la tempestad a las costas de África, donde arribaron a un puerto, que no era otro que el de la mismísima Cartago.

La estancia en Cartago

Allí fueron recibidos por Dido, la hermosa reina de Cartago, quien ordenó que se le diera la bienvenida a los troyanos y se les diera todo lo que precisaran. Dido invitó a Eneas a entrar a su palacio, donde le dio una cámara para reposar, y agua para bañarse, y una vestimenta limpia. Tras un tiempo prudencial, Dido envió a un sirviente para llevar a Eneas a un lugar donde ya se había dispuesto una comida. Eneas atravesó el corredor, alto y fuerte y reanimado. Dido lo contempló, y supo que era como mínimo un guerrero, y probablemente, el hijo de un dios. Su corazón se derretía, aun habiendo renegado del matrimonio tras el asesinato de su amante, Siqueo, aunque de cara al exterior mantenía una calma inalterable y la dignidad propia de una reina.

—Toma asiento, —le dijo a Eneas, mostrándole un lugar a la mesa. —Sé bienvenido, y quizá mientras comemos y bebemos desees contarme tu historia.

—Os agradezco vuestra hospitalidad, oh reina, —dijo Eneas, — y la ayuda que habéis prestado a mi gente, los pobres restos que quedan de Troya.

Entonces, Eneas ocupó su asiento en la mesa, y mientras cenaba con la reina Dido, le contó sobre el rapto de Helena, sobre la larga guerra contra los griegos, y sobre la caída de la ciudad. Le contó acerca de las andanzas de los troyanos que se siguieron, y cómo estos arribaron a Cartago. Y le habló de la profecía, según la cual él debía ir a Italia y fundar una nueva ciudad a orillas del río Tíber, y que era hacia allí donde él y su pueblo se dirigían.

Dido escuchaba atentamente y al detalle todo lo que le relató Eneas, y se encontró a sí misma embelesada con el valiente héroe que había conducido a su gente a través de tantas desgracias. En ese momento, ella empezó a pensar en cómo podría desviarlo de su camino y persuadirlo para quedarse con ella en Cartago para gobernarla a su lado. Por su parte, Eneas acogió de buena gana este reposo de sus fatigas, puesto que estar en un hermoso palacio con frescas fuentes, y con buena comida y bebida, y en paz, era más que agradable, y mantener conversación todos los días con una mujer bella e inteligente, un bálsamo para su fatigado corazón.

Dido y Eneas pasaron muchos días felices juntos en su palacio, y sin el pueblo troyano, que aceptó con gratitud la hospitalidad de los cartaginenses. Cuanto más tiempo permanecía Eneas demorándose en Cartago, más amoroso se sentía hacia la reina Dido, y ella también se dio cuenta de que él le había robado el corazón. La profecía se retiró de la mente de Eneas, y tal y como hiciera Dido el primer día en que se encontraron, Eneas empezó a pensar en cómo él y su gente podrían asentar su hogar aquí, en esta próspera y hermosa ciudad bañada por el mar Mediterráneo, y en cómo podía tomar a Dido como su esposa.

Desde su lugar en las alturas, Juno vio que la fuerza y belleza de Dido habían cautivado el corazón de Eneas, y se regocijó, pues esto significaba sin duda que nunca se construiría una ciudad rival de su favorita, Cartago. Venus, mientras tanto, estaba contenta de que su hijo hubiera encontrado un refugio donde poder vivir seguro por el resto de sus días. Sin embargo, el poderoso Júpiter observaba los amoríos de Eneas, y se enfurecía. Convocó al alado Mercurio y le dijo:

—Llévale este mensaje al príncipe de Troya: "¿Te has olvidado de la voluntad de los dioses? ¿Te has olvidado del patrimonio que le debes a tu hijo Ascanio, y a los herederos que le sucedan, de gobernar la ciudad más grande de todas? Ve, pues, y pon de nuevo tu barco rumbo a Italia, al lugar que llaman el Lacio. ¡Ve, pues es decreto del propio Júpiter, el rey de todos los dioses!".

Mercurio cumplió la voluntad de Júpiter. Bajó hacia Cartago, donde encontró a Eneas sumergido en su trabajo, ayudando a Dido con la construcción de nuevas fortificaciones. Mercurio entregó el mensaje de Júpiter, y Eneas encontró de repente que no tenía más deseos de pasar sus días en Cartago: supo que su destino se encontraba en otra parte, y que debía obedecer a los dioses. Pero Eneas también sabía que Dido le amaba, y que si partía de su lado le rompería el corazón. Por ello, reunió a todos los troyanos que quedaban en secreto, y les dijo que se prepararan para partir con discreción, mientras que, por su parte, buscó la manera de decirle a la reina que se debía marchar. Dido percibió el cambio de Eneas, y descubrió su propósito de abandonar Cartago para siempre. Lo llamó ante ella, pero ni sus demandas ni sus súplicas pudieron convencerle de que se quedara; y cuando él se mantuvo firme ante ella, la reina pronunció una maldición: siempre habría una enemistad entre Cartago y la nueva ciudad que Eneas fundaría en Italia.

Así pues, fue aquella misma mañana que la reina Dido lloró desde la cima de los acantilados que se abrían al océano, viendo como las velas troyanas se henchían con el viento mientras Eneas y su pueblo se hacían de nuevo a la mar, rumbo al lugar que el oráculo le había dicho que buscaran. Dido no pudo soportar el dolor de su pérdida, por lo que ordenó que se preparara una pira funeraria. Desenvainó una espada y, subiendo a la cúspide de la pira, hundió la espada en su propio pecho, y murió.

La quema de los barcos troyanos

Durante un tiempo, los troyanos avanzaron con buen viento, pero la brisa pronto cambió, y no pudieron proseguir su travesía. El vigía Palinuro dio la orden de que se arriaran las velas, y de que los troyanos tomaran los remos. Mientras iban remando a buen ritmo, vieron la isla de Sicilia alzándose ante ellos en el horizonte.

—Tomaremos tierra allí, —dijo Eneas. —Sabemos que en Drepana seremos bien recibidos, y allí podremos presentar nuestros respetos ante la tumba de Anquises.

Los troyanos hicieron tal y como dijo Eneas, y en el puerto, fueron recibidos por el rey Acestes, un amigo de Eneas. Acestes les dio una cálida bienvenida, y una vez los troyanos hubieron descansado y recuperado fuerzas, fueron a la tumba de Anquises, donde Eneas hizo una ofrenda, vertiendo libaciones de leche y sangre sobre el altar que allí se encontraba. Mientras Eneas rezaba, una serpiente surgió de la tierra y se enroscó encima del altar, donde se tumbó a lamer las ofrendas. Eneas tomó este hecho como la señal propicia de que su padre había escuchado sus oraciones, así que ordenó que se celebrara un gran sacrificio. Una vez que los terneros y los carneros hubieron sido sacrificados según el ritual, cocinaron la carne y la compartieron en un gran banquete, siguiendo la costumbre. Nueve días permanecieron Eneas y los troyanos en Drepana, y al noveno día, celebraron juegos funerales en honor a Anquises.

Mientras los hombres miraban y competían en los juegos, las mujeres permanecieron junto a la tumba de Anquises, llorando por él. Furiosa porque los troyanos volvían a dirigirse hacia Italia, Juno mandó a Iris, su mensajera, para sembrar el caos entre las mujeres, y de esta forma, evitar que los troyanos abandonaran Sicilia. Tomando la forma de una anciana llamada Beroe, Iris inflamó los corazones de las mujeres, poniéndolas en contra de continuar el viaje.

—Estaremos mejor si nos quedamos aquí, donde nos encontramos ahora, —dijo. —Prendamos, pues, fuego a los barcos, para que así no sigamos vagando más, sino que creemos un hogar para nosotras y nuestros hijos.

Entonces, tomó una rama en llamas de uno de los altares y la lanzó a uno de los barcos que se hallaban en las cercanías. Las otras mujeres dudaron en un principio, pero después la imitaron, con sus mentes alteradas por el poder de Juno. Sin embargo, una mujer no se dejó embaucar:

— ¡Esa no es Beroe! —gritó. —Es una diosa que está haciendo caer la locura sobre nosotras. Beroe no está aquí, pues ella cayó enferma y no pudo acudir a la ceremonia de duelo con nosotras. No hace más de una hora que la dejé en cama.

Pero ya era demasiado tarde: muchos de los barcos ya eran pasto de las llamas, e Iris, que había hecho bien su trabajo, desapareció de entre las mujeres. El humo de la quema ascendió al cielo, y la multitud que estaba en los juegos pronto lo vio. Ascanio saltó sobre un caballo y galopó hacia el puerto, donde vio las llamas lamiendo las quillas y las velas y los mástiles. Gritó horrorizado y reprendió a las mujeres. Eneas se unió enseguida, y elevó una ferviente oración a Júpiter, pues no había otra manera de salvar las naves en llamas. Júpiter oyó sus ruegos y envió una lluvia torrencial que apagó los incendios. Cuando cesó de llover, los troyanos vieron que, si bien muchos de los barcos habían resultado dañados, solamente cuatro estaban tan quemados que no se podían usar.

En ese momento, Eneas se sintió completamente desanimado. ¿Qué debía hacer? Ya no podía transportar a todos los troyanos en los barcos restantes, y Acestes le había invitado a él y a los suyos a asentarse allí, en Sicilia. Aquella noche, Eneas soñó con que su padre Anquises venía a él. Anquises le dijo:

— ¡Hijo mío, escucha las palabras de tu padre! Los decretos de los dioses no deben ser ignorados. ¡Sigue viajando hacia Italia! Lleva contigo un grupo de hombres escogidos, guerreros valerosos todos ellos, pues precisarás de su valor en las pruebas que vendrán; y lleva contigo a todas las mujeres que así lo deseen. Pero primero, deberás ir a Cuma y buscar a la Sibila que allí habita. Pídele su sabio consejo, y pídele paso seguro a través de la Laguna del Averno hacia la Tierra de los Muertos, para que podamos hablar cara a cara. Pues mi tiempo aquí es muy corto, y mucho es lo que tengo que contarte.

Eneas se despertó, y reflexionó sobre lo que Anquises le había dicho en su sueño. Pronto le quedó claro qué es lo que debía hacer. En primer lugar, le rogó a Acestes que le cediera tierras para construir en ellas una nueva ciudad donde las mujeres y los hombres que también se habían cansado de vagar se pudieran asentar. El magnánimo Acestes concedió de grado al príncipe troyano su petición, y los colonos le juraron lealtad a su nuevo rey. Después, Eneas volvió al puerto, donde los compañeros que permanecían a su lado y las mujeres que deseaban continuar viajando repararon los barcos quemados y se aprovisionaron para partir. Cuando todo esto estuvo hecho, se despidieron de sus paisanos y expresaron su gratitud a Acestes por su hospitalidad. Acto seguido, pusieron rumbo una vez más a Italia y a la tierra del Lacio que los dioses les habían ordenado buscar.

Eneas y sus compañeros continuaron navegando, hasta que una noche, la celosa Juno observó que llevaban un rumbo seguro y recto. Así pues, envió a Somnus, el dios del sueño, para hechizar a Palinuro, que permanecía siempre vigilante a la caña del timón del barco de Eneas. Palinuro se resistió todo lo que pudo, pero al final, no fue rival para el dios: su mano aflojó el timón de puro sueño. Sin la guía determinada de Palinuro, el timón dio un fuerte bandazo, dejando la caña sin nadie al mando y lanzando al vigía sobre cubierta. Eneas se despertó cuando el barco se estaba ladeando, y se encontró con que su fiel amigo se había perdido en las profundidades del mar. Invadido por el duelo, Eneas asumió el puesto de vigía personalmente.

La Sibila cumana y el descenso al Hades

Poco tiempo después, los troyanos se hallaban frente a la costa occidental de Italia, cerca de la ciudad de Cuma. Atracaron en su puerto, pues no solo estaban necesitados de descanso y comida, sino que Eneas precisaba de la sabiduría de la Sibila, tal y como Anquises le había contado. Mientras sus compañeros disponían los barcos y se encargaban de las demás necesidades de su campo base, Eneas se dirigió a la cueva de la Sibila y le preguntó qué es lo que debía hacer. Le dijo que en primer lugar debía ir al Templo de Apolo y hacerle allí un sacrificio al dios. La Sibila y él fueron juntos al templo, donde

Eneas llevó a cabo todo lo que era preciso y necesario. Entonces, la Sibila condujo a Eneas de vuelta a la cueva, donde ella entró en trance, poseída por el dios Apolo.

— ¡Valeroso Eneas! —dijo la Sibila, con una voz que sonaba como si procediera de las mismas profundidades de su cueva de mil pasadizos, pues era el dios quien hablaba entonces a través de ella. —Has superado múltiples y amargas pruebas, pero la más amarga es la que está por llegarte. El hogar que buscas te espera, ¡pero también te espera la guerra en él, y las aguas del Tíber teñidas de carmesí por la sangre! Tendrás que batallar, pues en el Lacio también mora el hijo de una diosa, un guerrero diestro y fuerte como lo fue el mismísimo Aquiles. Tendrás que batallar, pues Juno no se ha olvidado de su odio hacia Troya. Tendrás que batallar, pues tendrás que casarte de nuevo con una mujer que no es de tu pueblo, y esta mujer traerá la desgracia sobre ti. ¡Pero mantén tu valentía, pues te acabarás imponiendo! Y cuando llegue el momento, acude a la ciudad griega en busca de ayuda.

Así terminó la profecía, y una vez que el dios se hubo retirado y la Sibila había vuelto en sí, Eneas le pidió que le preguntara cómo podía viajar a través de la Tierra de los Muertos, pues tenía entendido que había una entrada a ella cerca de allí. La Sibila le dijo que buscara cierto árbol a orillas del cercano Lago del Averno, uno en cuya copa crecía una rama dorada. Si los dioses concedían a una persona viva la dispensa para entrar al Hades, la Tierra de los Muertos, Eneas podría arrancar la rama fácilmente, y esta sería su salvoconducto para atravesar el Hades, donde debía ofrecérsela a Proserpina, esposa de Plutón, el dios de los muertos.

Eneas se encaminó a las orillas del lago y, guiado por dos palomas enviadas por su divina madre, encontró con facilidad el árbol con su rama dorada. Sujetó la rama en su mano, la cual se separó del árbol con facilidad. Apenas había acabado de hacerlo cuando una nueva rama brotó en su lugar. Eneas llevó la rama donde la Sibila, quien le guió a la cueva donde se hallaba la entrada. Llegaron a las orillas del río Estigio, que separa las tierras de los vivos de las de los muertos. Allí se encontraron con Caronte, el barquero que transporta las almas a través de aquel río. Eneas se acercó para subirse a la barca de Caronte, pero el barquero se opuso:

– Quédate, –le dijo Caronte, –pues eres un hombre vivo y no puedes pasar.

– Porta la rama dorada –dijo la Sibila. –Los dioses le han otorgado permiso para entrar. No puedes negarle el paso.

Caronte cedió, y dejó a Eneas subir a su barca, con la Sibila como su guía. Fue una travesía oscura y solitaria, pero no se comparaba con lo que le esperaba a Eneas al otro lado. Muchos horrores fueron los que vio: Cerbero, el perro de tres cabezas que guarda las puertas del Hades, almas atormentadas en el Tártaro, monstruos y demonios que luchaban y eran aplastados por los héroes de antaño. Pero Eneas y su guía arribaron a los Campos del Luto, donde habitan las almas de aquellos que murieron por amor. Eneas se encontró allí con Dido, y lloró al enterarse de que se había dado muerte a sí misma por su amor, y lloró de nuevo cuando la sombra de ella no le oyó decir cómo se marchó en cumplimiento con la voluntad de los dioses, y no siguiendo a su corazón.

Más tarde, llegaron al lugar donde habitaban las sombras de los guerreros y los héroes muertos en batalla. Eneas se encontró allí con muchos de sus viejos amigos, y se regocijó de verles. Hubo uno por el que Eneas se apenó grandemente, y ese era Deifobo, al cual Helena le había sido otorgada por esposa a la muerte de su hermano Paris, y que había sido asesinado por Menelao cuando Helena abrió su cámara a los griegos durante el saqueo de Troya.

Finalmente, llegaron al palacio de Plutón, donde Eneas se presentó en el salón del trono y depositó la rama dorada a los pies de la reina de Plutón, Proserpina, haciéndole una reverencia a ella y al dios de los muertos. Una vez hecho esto, se les otorgó permiso a Eneas y a la Sibila para entrar en los Campos Elíseos, donde las almas bendecidas viven en paz y dicha. Tras un tiempo de búsqueda, encontraron la sombra del amado padre de Eneas, Anquises. Se alegraron de volverse a ver, y Anquises le enseñó a Eneas todas las maravillas que estaban por venir, las hazañas de los reyes y generales que descenderían de Eneas y los fundadores de un gran imperio. Entre estos se hallaba Rómulo, el cual fundaría la excelsa ciudad de Roma, y los emperadores Julio César y César Augusto, ambos del linaje de Eneas, quienes traerían una nueva edad de oro al mundo. Acto seguido, Anquises condujo a Eneas y a la Sibila hacia las puertas que debían usar para salir de la Tierra de los Muertos, y de camino, le contó a su hijo acerca de las guerras en las que iba a combatir y en lo que debía hacer para salir victorioso.

Tras dedicarle una afectuosa despedida a la sombra de su padre, Eneas cruzó la puerta acompañado de la Sibila, para encontrarse una vez más a la entrada de su cueva. Eneas agradeció profundamente a la Sibila por su ayuda, y volvió con sus compañeros, quienes le esperaban en la orilla del mar. Reconfortado por todo lo que había escuchado relatar a Anquises, Eneas animó a sus amigos con palabras audaces, y zarparon una vez más, navegando siempre hacia el norte en paralelo a la costa italiana. Neptuno en persona les envió vientos favorables, y pronto divisaron la desembocadura del río Tíber, rodeada de bosques. Eneas ordenó que arriaran las velas y tomaran los remos. Encontraron un lugar propicio para atracar bajo los árboles y desembarcaron en la playa. Tras ello, sacaron los pocos víveres que aún les quedaban y se prepararon una comida.

Viendo que tras la comida no iba a quedarles más suministros en sus alacenas, Ascanio se rió y le dijo a Eneas:

— Por lo visto, vamos a comenzar nuestra conquista con una hambruna, ¿no, Padre?

Fue entonces que Eneas se dio cuenta de que el final de su búsqueda estaba próximo, pues las arpías le habían profetizado este mismo hecho en los días en que los troyanos apenas habían marchado de su patria. Por lo tanto, ordenó que se derramaran libaciones a los dioses de Troya y a su propio padre Anquises, y en especial a Júpiter, por cuyo decreto habían arribado a estas costas. En respuesta a las libaciones, se oyó un bramido de truenos sin que hubiera aquel día ni una sola nube, lo que Eneas y sus compañeros tomaron como la aprobación del poderoso Júpiter. Así pues, comieron y bebieron con gran júbilo, y pasaron el resto del día divirtiéndose.

La llegada al Lacio y la guerra contra Turno

A la mañana siguiente, Eneas mandó exploradores para averiguar en qué tierra se encontraban. Estos regresaron pronto, alegres de que ese río fuera, efectivamente, el Tíber, que las tierras eran las del Lacio y que su rey vivía en una ciudad llamada Laurento, llamada así por el laurel sagrado que se había plantado en el recinto de palacio. Eneas, pues, envió una embajada de cien hombres escogidos al palacio del rey, todos ellos ricamente vestidos y portando palmas y regalos en señal de paz, y mientras estaban fuera, ordenó que se construyeran fortificaciones alrededor del campamento troyano para estar bien seguros.

La embajada de troyanos llegó pronto a palacio, y se les escoltó a su interior. Allí, presentaron sus regalos al rey, cuyo nombre era Latino. Le ofrecieron un cuenco para libaciones que había pertenecido a Anquises, y la corona, capa y cetro de Príamo, rey de Troya. Los embajadores le contaron a Latino la historia del saqueo de Troya y de sus andanzas por el mundo, y cómo habían acabado en aquellas tierras por orden del propio Júpiter, y que su líder era de ascendencia divina. Juraron que los troyanos venían en son de paz, sin desear otra cosa que tierras en las que establecer su hogar, y que nunca se alzarían en armas contra Latino sin haber sido provocados para ello.

Latino escuchó con suma atención todo lo que contaron, pues era un hombre sabio y un gobernante justo. Les dijo a los embajadores de Eneas:

—Sed bienvenidos a nuestras costas; os concederé lo que me pedís. Mi casa también es de origen divino, puesto que nuestra descendencia parte del mismísimo Saturno. Os doy la bienvenida no solo por el deber de la hospitalidad para con los forasteros y quienes huyen de la guerra, sino también porque estimo que vuestra llegada es la respuesta a una profecía. Soy un hombre anciano, como podéis ver, y aunque tengo una hija, no tengo un heredero varón que pueda ascender al trono cuando yo muera. Pero un vidente nos indicó que mi Lavinia se debía casar con un príncipe de tierras lejanas, y no con un hombre de nuestro propio pueblo. Al parecer, la profecía se ha cumplido con la llegada de vuestro líder. Por ello, os doy la bienvenida, y os envío de vuelta la invitación a que vuestro jefe venga a mi palacio sin tardanza, para que pueda recibirle como un rey recibe a un visitante ilustre.

Latino, pues, dispuso que a cada embajador se le diera un caballo de los establos reales, con sillas y bridas y todo lo que fuera necesario, y todo de la mejor calidad. Al mismo tiempo, los envió de vuelta con un fino carruaje para traer a Eneas a palacio de un modo digno de un príncipe.

Desde el elevado Olimpo, Juno veía todo lo que estaba aconteciendo, y su furia para con los troyanos se acrecentó aún más. Supo que no podría evitar que los troyanos se asentaran en el Lacio, y que tampoco podría poner obstáculos al matrimonio de Eneas con Lavinia, tal y como ordenaba la profecía. No obstante, se juró a sí misma que causaría todos los desastres que pudiera, y que haría sufrir a Eneas y a sus compañeros en todo lo que estuviera en su mano; así pues, se encaminó a la terrorífica morada de las Furias, donde preguntó por Alecto, la portadora de conflictos.

—Baja a Laurento —le dijo Juno— y pon tus talentos a trabajar. Encuentra un motivo para iniciar una guerra sangrienta entre la gente del Lacio y los que quedan de Troya.

Acto seguido, Alecto se dirigió a Laurento, donde buscó a Amata, la esposa de Latino y la reina de aquellas tierras. Amata estaba disgustada con la llegada de Eneas, ya que tenía la intención de casar a su hija con Turno, el cual era el príncipe de los rútulos en unas tierras vecinas al Lacio, y pariente de Latino. Bajo el encantamiento de Alecto, su disgusto se enardeció y se convirtió en una envidia y odio muy intensos, por los que Amata se acercó a su real marido y le exigió que expulsara a Eneas y sus compañeros y en su lugar, le diera a su hija a Turno en matrimonio. Sin embargo, Latino rechazó cambiar de parecer, pues estaba convencido de que Eneas había venido a cumplir la profecía.

Tras haber encontrado oposición en el rey, Amata salió corriendo por las calles, provocada por el aguijón del veneno de Alecto. Gritaba a los cuatro vientos cómo Latino tenía intención de casar a Lavinia con el extranjero recién llegado, e incitó a las otras mujeres de la ciudad a unirse a ella y oponerse a este proyecto. Tomó a la propia Lavinia y la escondió en un lugar secreto del bosque que se hallaba en una montaña cercana. Muy pronto, en Laurento se organizó un alboroto.

Acto seguido, Alecto se marchó a Ardea, en la tierra de los rútulos, donde adoptó la forma de una suma sacerdotisa de Juno, cuyo templo se alzaba junto al palacio real. Allí, mandó llamar a Turno, y bajo la forma de la sacerdotisa, le contó sobre el plan de Latino de casar a Lavinia con Eneas.

– ¿Vas a quedarte sentado de brazos cruzados y a dejar que ese carcamal idiota te arrebate el trono que debe ser tuyo? –dijo Alecto. – ¿O vas a empuñar las armas, como corresponde a un príncipe y un héroe, y luchar por tus derechos?

Pero Turno no se dejó engatusar, pues pensaba que la anciana era realmente la sacerdotisa.

– Márchate. – le dijo – No temo nada de los troyanos, de cuya llegada he sido informado en los pasados días. Vuélvete al templo, que es el lugar donde debes estar, y atiende tus obligaciones. Déjame a mí y a los hombres de esta tierra los asuntos del estado y de la guerra.

Las palabras de Turno enfurecieron a la terrible diosa. Se deshizo de su disfraz de sacerdotisa y adoptó su terrorífica forma.

— ¡Estúpido mortal! ¡No soy una simple mujer, sino una diosa de la guerra y de la muerte! ¡Vas a cumplir mi voluntad, lo quieras o no!

Entonces, Alecto perforó el pecho de Turno con su veneno y se desvaneció, volviendo al Lacio para ver qué más desgracias podía causar. Turno, por su parte, se llenó de ira contra los troyanos. Envió mensajes a Latino diciéndole que si los troyanos no eran expulsados de las costas de Italia, tanto el Lacio como Troya se enfrentarían a los hijos de los rútulos en la batalla. Hecho esto, reunió a su ejército y dijo a su pueblo que se preparara para la guerra.

Entretanto, el asentamiento troyano a orillas del Tíber crecía en paz, y los troyanos enviaban de vez en cuando cazadores para que consiguieran carne para el campamento, pues aún no habían juntado sus propios rebaños de vacas y ovejas. El joven Ascanio se adelantó para seguir el rastro a un hermoso ciervo. Disparó una flecha y lo hirió en un costado, sin saber que este animal era la mascota de la hija de un granjero que lo había criado desde que era un cervatillo. El ciervo huyó de vuelta a su casa, donde la joven lloró al ver a su amigo tan gravemente herido. Cuando su padre y sus hermanos le preguntaron qué la atormentaba, les contó lo sucedido. Justo mientras se lo estaba contando, Ascanio llegó allí, siguiendo la pista del ciervo herido.

Espoleados por Alecto, el granjero y sus hijos se abalanzaron sobre Ascanio con la idea de castigarlo por esta afrenta a su familia. Ascanio huyó hacia los barcos, con los hombres de la familia de la chica pisándole los talones. Los troyanos vieron el aprieto en el que estaba Ascanio desde lejos, y se armaron para proteger al hijo de Eneas de los pobladores enfurecidos y para alejarlos de su campamento. Los troyanos estaban bien armados y entrenados, por lo que echaron fuera a los granjeros sin esfuerzo. Por desgracia, muchos quedaron heridos y algunos encontraron la muerte, incluyendo un respetado anciano que había intentado parar la pelea.

Alecto volvió a las alturas a contarle a Juno lo que había hecho.

—Si lo deseas, —dijo la Furia —puedo meter cizaña más allá de estas tierras, y enzarzar a toda Italia en una guerra contra tus enemigos.

Pero Juno rechazó su ofrecimiento, y le contestó a la Furia que su trabajo había sido suficiente y le complacía, y que podía volver a su morada.

Mientras, los aldeanos habían levantado los cadáveres de sus compañeros muertos y se habían refugiado en las murallas de Laurento, donde despotricaron contra la violencia de los recién llegados y se lamentaron por la matanza. En aquel mismo momento, Turno llegó, haciendo pública la intención de Latino de entregar el trono del Lacio a un extranjero, y prediciendo que toda Italia se vería pronto esclavizada por los invasores venidos de fuera. Pero Latino no escuchó ni los gritos de los aldeanos, ni las quejas de la reina y de las mujeres, ni el bramido de Turno.

—Me propongo llevar a cabo la voluntad de los dioses, —dijo Latino a Turno y al pueblo. —No voy a unirme a vosotros en este desacertado ataque a unos extranjeros que han arribado a nuestras tierras en busca de ayuda, y cuya llegada fue profetizada. Haced la guerra si lo deseáis, pero será sin mi bendición y sin mi ayuda. Predigo que esto no terminará bien para vosotros, puesto que os habéis puesto en contra de los mismísimos dioses.

Acto seguido, Latino se encerró en su palacio y se rehusó a salir de él.

En el Lacio era costumbre que las puertas del Templo de Jano se mantuvieran cerradas con cien cerrojos en tiempos de paz, pero que se abrieran en tiempos de guerra, para que el espíritu de Marte, el dios de la guerra que también residía allí, pudiera ser liberado para luchar en el bando del pueblo. Pero solamente el rey tenía derecho a correr los cerrojos, y Latino desdeñaba llevar a término esa función. En vista de ello, Juno descendió de las alturas. Descorrió los cerrojos de las grandes puertas con sus propias manos y las abrió de par en par. Pronto el espíritu de la guerra se extendió de punta a punta del territorio del Lacio. Los herreros trabajaban incesantemente en sus forjas, y los armeros en sus talleres, fabricando armas. Los aliados de Turno y de los latinos o, de hecho, cualquiera que tuviera el más mínimo resentimiento en contra de los troyanos, capitaneaba sus tropas y las conducía a Laurento.

Cuando Eneas y sus compañeros vieron las fuerzas que se estaban reuniendo en el interior de las murallas de Laurento, no supieron qué hacer; pues pese a que eran todos guerreros de gran coraje, diestros en las armas y templados en los peligros de la guerra y las largas travesías, no estaban en suficiente número como para enfrentarse a Turno y a sus aliados en batalla. Pero no cedieron al desaliento, ya que Eneas recibió ayuda en la forma de un sueño. En este sueño, el espíritu del dios del río Tiberino se le apareció, dedicándole palabras de ánimo al héroe y haciéndole saber que su causa era justa, y su victoria, la voluntad de los dioses. Tiberino le dijo a Eneas que buscara a un hombre llamado Evandro, un griego que había levantado una colonia con algunos de sus paisanos en un lugar río arriba. Evandro y los latinos estaban siempre de disputas los unos contra los otros, por lo que seguramente se uniría a la causa de Eneas.

—Haz estas cosas, —dijo Tiberino, —y a cambio te pido que, cuando la victoria sea tuya, vayas a mi santuario y me ofrezcas el debido sacrificio.

Acto seguido, el dios se desvaneció y Eneas se despertó. Lo primero que hizo Eneas cuando se alzó del lecho fue tomar agua del río en sus manos, haciéndole una solemne promesa a Tiberino de que no solamente le haría las ofrendas necesarias, sino de que también ordenaría que el dios del río recibiera el debido homenaje a perpetuidad. Una vez hecho esto, Eneas eligió dos de sus barcos más rápidos y dos grupos de hombres escogidos, y mientras estaba preparando todo para el viaje, le sacrificó una cerda y su camada a Juno. Tras esto, Eneas y sus hombres remaron río arriba a toda velocidad hasta Palanteo, la ciudad de Evandro. Según iban navegando, Eneas se llenaba de dicha al ver que Tiberino alisaba el agua hasta dejarla como un cristal para que los remeros pudieran ir a la máxima velocidad.

La embajada a Palanteo y a Etruria

Mientras, en Palanteo, Evandro y su hijo Palas, y la gente de la ciudad se encontraban cerca de la orilla del río, ofreciéndole sacrificios a Hércules como agradecimiento por haberles rescatado de un gigante malvado. Los palanteos se alarmaron al ver dos barcos de guerra avanzando por el río hacia la ciudad con rapidez. Evandro y su hijo llegaron tan prestos como pudieron a la orilla del río y se tranquilizaron al comprobar que el que guiaba de ambos barcos sostenía en su mano una rama de olivo en señal de paz.

— ¿Quiénes sois y por qué habéis venido aquí? —dijo Palas a los troyanos una vez que los barcos atracaron en la orilla.

Eneas dio un paso al frente.

— Soy Eneas, hijo de Anquises. Vengo en busca de Evandro, el rey de esta tierra, pues necesitamos su ayuda urgentemente. La solicitamos a pesar de que sois griegos y nosotros, troyanos, pues nuestros dos pueblos pueden afirmar que el poderoso Atlas es antepasado nuestro. Por ello, recurro a vosotros como parientes con la esperanza de que acudáis a nosotros en esta hora aciaga. Los latinos nos están declarando la guerra sin causa justificada. Turno, el príncipe de los rútulos, los lidera, y ha reunido una hueste con sus aliados. Entendemos que también tenéis motivos para oponeros a los latinos, y acudimos a vosotros para que os alcéis en armas con nosotros contra este enemigo común.

Evandro escuchó con atención todo lo que Eneas le dijo, y le contestó:

— Yo soy el Evandro que tú buscas. Conocí a Anquises en mi juventud y lo consideraba amigo. Tendrás todo lo que necesites: hombres, caballos y armas; y los tendrás todos preparados mañana por la mañana. Pero primero, celebremos un banquete juntos, pues para nosotros hoy es un día de fiesta en honor a Hércules, y estos ritos no deben dejarse de lado.

Eneas y sus compañeros lo aceptaron de grado, y se unieron a la libación y el sacrificio de los palanteos. De regreso a la ciudad, Evandro le contó a Eneas la historia de Italia, y le indicó los lugares más agradables y adecuados para fundar una ciudad, los cuales, a su debido tiempo, se convertirían en el lugar donde nada menos que la poderosa Roma se alzaría entre colinas.

Tras pasar un agradable día y una noche de descanso en la ciudad de Evandro, Eneas y sus generales tomaron consejo de Evandro y Palas.

—Mi pueblo y yo no tenemos la fuerza suficiente para derrotar a Turno y a sus aliados— dijo Evandro—, aunque todo lo que poseemos está a tus órdenes. Sin embargo, si me aceptas un consejo, te sugiero que busques a Tarconte, el jefe de los etruscos. Su gente y él expulsaron a su gobernante Mezencio, un hombre cruel que maltrataba a su pueblo y que huyó adonde Turno buscando protección. Los etruscos desean entrar en guerra contra Turno y los latinos para que les entreguen a Mezencio y puedan llevarlo ante la justicia, pero la profecía afirma que no tendrán éxito si los dirige un jefe italiano. Yo no puedo ofrecerles mi ayuda, puesto que, aunque nací en Arcadia, han pasado ya muchos inviernos para mí, y mi hijo Palas, aunque fuerte y bien entrenado en las artes bélicas, nació aquí en Italia de madre italiana. Así pues, busca a Tarconte y establece una alianza con él. Los etruscos son guerreros de gran fiereza, y te ofrecerán su ejército de grado si tú les ofreces el tuyo.

Mientras Eneas reflexionaba sobre las acciones que debía tomar, un rugir de truenos sacudió el cielo. Todos dirigieron la mirada a las nubes, desde donde se oyó un nuevo estruendo, y una figura brillante revestida con una armadura se apareció en el cielo. Los compañeros de Eneas le tranquilizaron diciéndole que se trataba de la señal que su divina madre le había prometido mostrarle en la víspera de la batalla en la que lograría sus conquistas. Así, calmados de este modo, los palanteos se apresuraron con los preparativos y con la reunión de las tropas que Evandro había prometido: cuatrocientos jinetes escogidos, todos ellos soldados fuertes y temibles, revestidos de armaduras brillantes y blandiendo largas y agudas lanzas, todos a las órdenes de Palas.

Evandro también le dio caballos a Eneas y al pequeño grupo de sus compañeros que formarían la embajada ante los etruscos, mientras que los troyanos restantes se embarcarían y retornarían al campamento cercano a Laurento para contarle a Ascanio y a los demás lo que había acontecido en Palanteo y lo que estaba por venir si todo le iba bien a Eneas en Etruria. Tras ofrecerle los sacrificios necesarios a los dioses, Eneas y Palas y sus compañeros se despidieron de Evandro y partieron en busca de Tarconte.

Mientras Eneas estaba en Palanteo, su madre divina no había estado de brazos cruzados. Se dirigió donde su marido, el cojo Vulcano, y le rogó que fabricara armas para su hijo para que pudiera salir vencedor de la próxima batalla. Vulcano accedió, y se puso a trabajar con sus cíclopes para hacerle un casco, una coraza y grebas, así como una espada, una lanza y un majestuoso escudo, dignos del hijo de una diosa. Todo ello quedó listo justo cuando Eneas se encaminaba hacia Etruria, y cuando su ejército y él se detuvieron para darles agua a sus caballos, Eneas vio un destello entre unos árboles que se hallaban cerca del lugar. Se acercó para averiguar de qué se trataba, y se encontró con la hermosa Venus esperándole con la armadura. Le dio las gracias a su madre por los regalos; no tanto por la utilidad de estos como porque el escudo había sido especialmente decorado con numerosas escenas que revelaban el futuro de Roma y de su poderoso imperio, de manera que Eneas se enteró de lo que iba a suceder con sus conquistas.

El primer ataque a los troyanos

Por su parte, Turno estaba esperando el Laurento a que llegara el mejor momento para atacar, y Juno estaba haciendo lo mismo en las alturas. Viendo que Eneas y algunos de sus hombres habían partido, Juno envió a Iris adonde Turno para animarle a que atacara a los troyanos mientras su jefe estaba ausente. Así lo hizo Turno, reuniendo su ejército para atacar las fortificaciones que los troyanos habían levantado alrededor de su campamento. Con muy buen criterio, y obedeciendo las órdenes de Eneas, los troyanos no abandonaron el campamento, sino que lo defendieron desde su interior. Turno y sus compañeros no pudieron avanzar a través de las fuertes defensas troyanas, por lo que pensaron en eliminar su vía de escape por el agua prendiéndole fuego a sus barcos. Sin embargo, los barcos estaban hechos con madera de árboles consagrados a Cibeles, madre de los dioses, la cual apoyaba a Eneas por decreto de Júpiter y de la hermosa Venus. Cuando los rútulos lanzaron flechas en llamas a los barcos troyanos, estos se desamarraron solos y se sumergieron bajo la superficie del río para resurgir transformados en ninfas. Entonces, los rútulos supieron que había un poder divino en acción, por lo que se retiraron. Sin embargo, a la orden de Turno, los latinos y sus aliados acamparon en el exterior de las fortificaciones troyanas, a la espera de su oportunidad para atacar y pasar a cuchillo a lo que quedaba de Troya.

Durante la noche, a dos valientes troyanos, Niso y Euríalo, se les ocurrió atravesar sigilosamente el campamento de Turno para llevarle a Eneas la noticia del sitio. Los latinos, seguros de su victoria, se habían pasado la noche jugando y bebiendo, y en aquel momento se hallaban sumidos en un profundo sueño. Mientras avanzaban por el campamento, los dos troyanos asesinaron a muchos, soldados y oficiales por igual, y se llevaron consigo algo de botín. Sin embargo, los rútulos pronto los descubrieron y les dieron muerte, y sus cuerpos fueron llevados a las murallas y exhibidos como trofeos ante los dolientes troyanos.

Tan pronto como salió el sol, Turno ordenó atacar. La batalla fue dura y sangrienta, y pronto los latinos irrumpieron entre las defensas de los troyanos. Muchos guerreros excelentes cayeron en ambos bandos. Turno se encontró solo, dentro de las murallas enemigas, pero no se amilanó: se abrió paso plantando batalla y, en un último intento para escapar, se lanzó al río, completamente armado como estaba, y nadó hasta la otra orilla, donde le recibieron sus amigos. Los troyanos continuaron luchando, agrupándose para expulsar a los latinos de sus murallas y reconstruirlas para que fueran seguras.

A medida que la batalla iba arrasando el interior y los alrededores del campamento troyano, el poderoso Júpiter observaba desde las alturas con desagrado.

—Fue mi voluntad— dijo —que los troyanos se asentaran en Italia sin necesidad de recurrir a la fuerza de las armas. ¿Quién ha sido quien ha espoleado esta guerra? Pues no es aún el tiempo de que los descendientes de Eneas y de la ciudad de Troya se encuentren en guerra contra otros estados: eso está todavía por llegar, cuando Roma y Cartago se enfrenten entre ellos por la supremacía, tal y como he decretado. Hasta ese tiempo, os ordeno a todos que os hagáis a un lado y que no interfiráis más en el curso de los acontecimientos.

Tanto Venus como Juno protestaron. Una argumentó que Júpiter debía tomar partido por el lado de los troyanos y liberarlos del sitio, mientras que la otra defendió su postura a favor de que permitiera que la guerra continuara. Sin embargo, Júpiter se negó a escuchar a ninguna de ellas, mandándoles a ambas guardar silencio y obediencia y diciendo que, ya que la batalla se había entablado, no había nada que ningún dios o diosa pudiera hacer salvo esperar a lo que los Hados tuvieran reservado para ambas facciones.

Mientras tanto, Eneas había arribado al campamento etrusco. Llegó ante Tarconte y los demás generales y les expuso su caso. Viendo que este era el líder extranjero que les había sido profetizado, los etruscos accedieron de grado a una alianza con los troyanos. Eneas y sus compañeros, acto seguido, se apresuraron a volver al campamento troyano con sus barcos y los etruscos con los suyos, al tiempo que los cuatrocientos caballos cedidos por los palanteos y la caballería de Etruria galoparon por tierra para mitigar los efectos del asedio. Mientras los barcos se deslizaban por el río, se encontraron con las ninfas que habían emergido de las aguas cuando los barcos troyanos se sumergieron bajo el agua. Las ninfas le rogaron a Eneas que se diera prisa, pues los ejércitos de Turno estaban preparados para recibir el asalto de la caballería y el campamento troyano estaba en una gran desventaja numérica. Después, las ninfas se agruparon alrededor de los barcos troyanos y etruscos, empujándolos adelante más rápido de lo que cualquier tripulación podía remar.

Divisando el reluciente escudo de Eneas en la lejanía, los troyanos se regocijaron con la llegada de refuerzos, y, sobre todo, de la de su jefe, el cual tenía todo el aspecto de un dios con su estatura y fuerza y armamento divino. Sin embargo, Turno reunió a sus tropas para crear un bastión contra los recién llegados, esperando repelerlos antes de que estos hubieran tenido tiempo de organizarse en filas. Lo intentaron con todas sus fuerzas, pero los guerreros de Turno no pudieron vencer a Eneas, quien avanzó a grandes pasos en medio de sus filas, causando bajas en muchos de sus mejores guerreros de un solo espadazo.

La caballería de Palas llegó por otra parte del campo, pero el terreno era tan irregular que sus hombres y él se vieron obligados a combatir a pie. Los rútulos se armaron de valor al ver esto y arreciaron su asalto, por lo que los palanteos comenzaron a flaquear. A pesar de ello, el bravo Palas los agrupó, con lo que la batalla se recrudeció, aunque ninguno de los dos bandos le estaba comiendo terreno al otro. Siguieron luchando sin descanso, hasta que Turno se acercó donde estaba Palas. Este arrojó su lanza con fiereza al príncipe rútulo, pero la punta apenas rozó a su rival. Turno lanzó su propia jabalina al hijo de Evandro, atravesando escudo, armadura y carne. Allí, el poderoso guerrero de Palanteo murió en el campo de batalla.

Al enterarse de la muerte de Palas, Eneas se enfureció. Primero, tomó prisioneros para sacrificarlos en la pira funeraria de Palas; luego, se abrió paso arrasando por entre las filas de los rútulos, sin que nadie pudiera resistir su arremetida. El héroe troyano realizó tal asalto a los ejércitos de Turno que Ascanio y sus compañeros del interior de las murallas pudieron realizar una incursión, y pronto, ellos también estaban sembrando el caos entre las huestes latinas.

Júpiter observaba el curso de la batalla desde su asiento celestial, y se disgustó en grado sumo, pues, ¿cómo es que Eneas y los troyanos podían estar avanzando tanto en medio de un enemigo tan numeroso, si no era mediante asistencia divina? Ciertamente, el poder de Venus estaba en acción allí, ayudando a su muy amado hijo y a sus compañeros en la batalla. Juno también lo vio, y le rogó a Júpiter que interviniera o, si no iba a hacerlo, al menos que le permitiese rescatar a Turno. Júpiter accedió a esta última petición, así que Juno ayudó a Turno a abandonar el terreno por medio de una estratagema. Ella creó una sombra con la semblanza de Eneas para que se burlara de Turno y para conducirlo a un barco, el cual desatracó y puso a navegar río abajo sin contar con la voluntad de Turno. Al comprobar que había sido engañado, y temiendo que sus hombres pensaran que era un cobarde por marcharse en medio de la batalla, el príncipe rútulo, lleno de vergüenza, intentó caer encima de su propia espada, pero Juno lo evitaba cada vez que él lo intentaba; y pronto llegó a puerto seguro en la cuidad de su padre, el rey Dauno.

Mientras Eneas se abría paso de arriba a abajo en el campo de batalla en busca de Turno, se encontró con Mezencio, el cruel líder tan odiado por los etruscos. Se enzarzaron en combate, y Mezencio fue herido. Cuando Eneas saltó sobre él para asestarle el golpe mortal, el hijo de Mezencio, Lauso, se interpuso entre el héroe troyano y su padre herido mientras los compañeros de Mezencio se lo llevaron lejos a un rincón seguro. Lauso luchó con ardor, pero no pudo derrotar al príncipe troyano. Al final, Eneas lo mató, pero en honor al valor de Lauso y a su amor filial, ordenó que nadie expoliara el cuerpo, sino que lo devolvieran al campamento latino para que fuera enterrado de acuerdo a las costumbres del pueblo de Lauso.

Al oír que Lauso había sido asesinado, Mezencio espoleó su caballo contra Eneas a pesar de estar herido. Eneas iba a pie, así que, en vez de intentar combatir contra un hombre montado, apuntó al caballo con su jabalina y derribó a la enorme bestia, dejando a Mezencio bajo su peso. Cuando Eneas se le estaba acercando para asestarle el golpe mortal, Mezencio dijo:

—No tengo miedo de mi muerte, que está próxima, pues era mi muerte lo que buscaba cuando oí que mi Lauso había sido asesinado. Pero mantén mi cuerpo a salvo de los etruscos que desean profanarlo tras mi muerte, y no te escatimaré el botín de mi armadura.

Una breve tregua y un ataque troyano

Al poco, la contienda terminó, y se trasladó a los caídos al campamento para que se les presentaran los debidos respetos. Eneas colgó la armadura de Mezencio de un árbol como muestra de su victoria en el campo de batalla, y lloró sobre el cuerpo de Palas, de quien se había sentido responsable en ausencia del padre del joven. Después, llamaron al líder troyano a las puertas del campamento, pues los emisarios de los latinos se aproximaban portando ramas de olivo.

—Hemos venido a rogarte que nos des los cuerpos de nuestros compañeros muertos, para que puedan recibir los ritos funerarios correspondientes —dijeron.

Eneas asintió.

—Os lo concedo de grado —dijo, —pues no estoy en guerra con vosotros, sino con vuestro jefe. Vine aquí en son de paz para encontrar un hogar para mi gente, y mi intención era quedarme en son de paz. Ni mis compañeros ni yo hemos pretendido nunca haceros daño, ni a vosotros ni a vuestros compatriotas. Fue Turno quien comenzó la pelea, y si insiste en arreglar sus diferencias con nosotros por medio de las armas, ¿por qué no se ha enfrentado a mí personalmente, hombre a hombre, dejando que la fuerza y la voluntad de los dioses decidieran el resultado, en lugar de derramar tanta sangre? Pero nadie puede volver atrás en el tiempo, y lo hecho, hecho está. Tomad los cuerpos de vuestros amigos, pues, y haced por ellos lo que es justo y necesario.

Al escucharle, los latinos se quedaron en silencio, pues no se esperaban la misericordia de Eneas. Uno de ellos, un anciano llamado Drances, consejero del rey Latino que no sentía ninguna simpatía por Turno, habló:

—Príncipe de Troya, hoy he visto tu poderío en el campo de batalla, pero no esperaba verlo correspondido por tu justicia. Dices la verdad. Latino es nuestro rey, y no Turno. Dejemos que Turno haga su propia guerra y sus propios pactos. Por nuestra parte, nosotros nos unimos a ti y te ayudaremos con gusto a construir una nueva ciudad para tu gente.

Los compañeros de Drances estuvieron de acuerdo con esto, así que consiguieron una tregua de doce días con los troyanos, en la que la primera obligación con la que debían cumplir era celebrar los ritos adecuados para con sus muertos. Los troyanos y los latinos se adentraron juntos en los bosques de los alrededores del Lacio, talando árboles con los que quemar los cuerpos de los muertos. Se atizaron piras tanto en los campos troyanos como en los latinos. Los guerreros montaban sus caballos y cabalgaban alrededor de las llamas, lamentándose y llorando a sus amigos muertos. En Palanteo, Evandro guardó luto por su hijo muerto, cuyo cuerpo habían trasladado con respeto hacia allá unos emisarios troyanos, al tiempo que en Laurento, las esposas y madres de los latinos muertos cantaban himnos fúnebres y lanzaban palabras llenas de furia contra Turno, odiándole por empezar una guerra innecesaria a causa de su orgullo herido. Drances alimentó este descontento diciendo que Eneas había retado a Turno a batirse en combate individual, pero Turno, por su parte, no le había respondido. Aún contaba con poderosos amigos en el Lacio, en especial con la reina Amata, y esperaba noticias de la embajada que le había enviado a Diomedes, un jefe griego que se había asentado en Italia tras la guerra de Troya.

Así pues, transcurrieron doce días de tregua hasta que, finalmente, aquellos emisarios retornaron. El rey Latino convocó al consejo para escuchar su informe. Cualquier esperanza que los latinos pudieran haber albergado sobre la ayuda de Diomedes pronto quedó destruida: el líder griego dijo que no hallaba razón para enfrentarse a Eneas, el cual tenía por un hombre de honor; que no iba a enviar tropas, y que era su consejo que los latinos hicieran las paces con los troyanos a la mayor brevedad. El rey Latino, que estaba más convencido que nunca de que Eneas era el príncipe extranjero mencionado en la profecía, dijo que encontraba el consejo de Diomedes digno de ser aceptado. Drances, que estaba sentado en la cámara del consejo, estuvo muy de acuerdo con esta recomendación, pues tampoco él veía razones de peso para proseguir con la guerra. Sin embargo, Turno despreció las palabras de Drances, pues pese a su gran elocuencia en el consejo, no era un guerrero distinguido.

— ¡Por supuesto que recomiendas una tregua! — dijo Turno—, pues sabes que vales de poco en el campo de batalla. Aun así, hay almas más fuertes y con más agallas que la tuya, y aunque puede que el día anterior no hayamos ganado, aún queda tiempo. ¿Quién sabe qué nos puede deparar el destino en el siguiente encuentro? Sabe esto también: si Eneas desea enfrentarse a mí en combate individual, pelearé contra él de grado. A no ser, claro está, que Drances prefiera ser quien actúe como guerrero.

Mientras los latinos estuvieron discutiendo en estos términos sobre qué hacer, un mensajero irrumpió corriendo en la cámara del consejo con la noticia de que los troyanos y los etruscos habían reunido a sus ejércitos y se aproximaban a la ciudad en formación de batalla. Turno salió corriendo de la cámara para armarse y convocar a sus tropas. Al tiempo que estaba en ello, se encontró con la reina de los volscos, Camila, la cual se había sumado a la causa de Turno, y juntos acordaron un plan de batalla con la esperanza de derrotar a su enemigo. Cuando todo estuvo preparado, las puertas de la ciudad se abrieron y los latinos avanzaron en tromba. Una vez más, se desarrolló una batalla con grandes hazañas valerosas en ambos bandos. Sin embargo, Camila cayó en el transcurso de la contienda. Esta reina era la favorita de la diosa Diana, y había prometido que el cuerpo de Camila no sería expoliado si los Hados determinaban que muriera en batalla. Tomando el cuerpo de la reina, se lo llevó sobre una nube a sus tierras, donde fue enterrada con todos los honores.

La muerte de Camila alteró el curso de la batalla. Viendo que su reina se había desvanecido, los volscos se batieron en retirada, seguidos por muchas de las tropas latinas. Los troyanos y los etruscos los siguieron muy de cerca, y muchos fueron masacrados fuera de las murallas de Laurento mientras intentaban atravesar unas puertas que eran demasiado estrechas para tal número de hombres. Turno trató de agrupar a sus tropas y repeler a los troyanos, pero la oscuridad se cernía sobre ellos, y pronto ambos ejércitos se vieron obligados a retirarse del campo y a esperar al nuevo día.

El reto a un combate individual y la victoria de Eneas

En Laurento, Turno vio que los latinos ya no tenían agallas para combatir. A pesar de ello, no podía dejar de lado ni su orgullo ni su sed de victoria. Por ello, Turno se acercó donde el rey Latino y reiteró su propuesta de enfrentarse a Eneas en un combate individual y dejar que el resultado de la batalla zanjara el asunto. No obstante, Latino le aconsejó en contra de ello diciéndole:

—Seguro que hay otras mujeres que podrían ser tu prometida, jóvenes de buena familia y de noble virtud. ¿Por qué insistes en algo que con toda seguridad solo es una empresa vana que te conduce a tu propia muerte? Haz las paces con Eneas. Parece un hombre razonable, y justo, y ahora tengo aún más claro que Lavinia debe desposarse con él. De hecho, debía haber dispuesto que se celebrara su matrimonio desde el primer momento, en vez de esperar y así ver el Tíber teñido de rojo con la sangre de Laurento. Piensa también en tu padre: él te ama bien, y has actuado con justicia como líder ante él y tu pueblo. No los prives de tu fuerza, pues puede que todavía precisen de ella.

Pero no importaron las súplicas de Latino, ni tan siquiera las de la reina Amata: Turno no dio su brazo a torcer. Envió un mensajero al campamento troyano, retando a Eneas a un combate individual. Eneas, por su parte, lo aceptó de buen grado, pues así se daría fin al conflicto sin derramar más sangre. Se acordó un día para el combate, y se marcó un espacio a tal efecto fuera de la ciudad. A la hora señalada, Turno y Eneas llegaron al palacio con sus ejércitos. El rey Latino también se hallaba allí, y antes de que el combate comenzara, los troyanos y los latinos ofrecieron ricos sacrificios a los dioses, y se comprometieron ante ellos a aceptar el resultado del combate como la resolución definitiva de su disputa. A pesar de ello, antes de que Turno y Eneas pudieran empezar a pelear, Juno incitó a Juturna, la hermana de Turno, quien se había transformado en una ninfa por el favor de los dioses, a proteger a su hermano creando conflictos entre los ejércitos. Tomando la forma de un soldado latino, comenzó a rezongar sobre lo impropio que resultaba para un ejército que superaba ampliamente al troyano en número aceptar el resultado de un combate individual, en vez de tomar la victoria en una guerra como el final de su desacuerdo.

Justo cuando estaba diciendo estas palabras, un águila bajó en picado hacia el río y atrapó un cisne en sus garras. El águila fue perseguida por una manada de aves acuáticas, las cuales atacaron al águila hasta que soltó su presa y se alejó volando. Un sacerdote de los rútulos, habiendo escuchado las palabras de Juturna, interpretó este hecho como un augurio de su victoria sobre los troyanos. Instigando a los suyos a atacar, el sacerdote lanzó una jabalina al ejército troyano, matando a uno de los hombres de Eneas. No pudieron soportar tal insulto, así que los troyanos se lanzaron a luchar contra los rútulos y los latinos y se entabló una batalla.

Eneas se quedó petrificado del asombro ante este hecho, pues justo antes él y sus líderes habían jurado solemnemente decidir el resultado del enfrentamiento con una lucha individual. Mientras trataba de volver a poner orden en sus filas, una flecha salió del bando latino y le atravesó la armadura. Herido de esta manera, Eneas no podía luchar. Sus amigos se lo llevaron a los barcos, donde el médico intentó extraer la punzante flecha de la herida sin éxito. En ese momento, Venus, sin ser vista, aplicó orégano de Creta y ambrosía en el agua que el médico estaba empleando para lavar la herida. La flecha salió entonces por sí misma con facilidad, y la carne se volvió a unir sin ayuda y a quedarse como si nunca la hubieran atravesado.

El héroe troyano retomó sus armas y, reuniendo junto a él un gran número de tropas, volvió al campo de batalla, donde causó estragos entre los latinos y los rútulos. Sin embargo, no pudo acercarse a Turno lo suficiente como para enfrentarse a él por mucho que lo intentara. A medida que la batalla progresaba, Eneas vio que la ciudad en sí estaba relativamente indefensa, dado que la mayoría de latinos y rútulos estaban en el campo luchando. Reuniendo a sus generales, les contó su plan: debían reunir fuerzas y atacar la ciudad directamente mientras esta fuera vulnerable, y una vez dentro, exigir a los latinos que se rindieran o arrasar la ciudad hasta los cimientos. Los generales estuvieron de acuerdo en que este era un buen plan, e hicieron tal y como Eneas ordenó. Tomaron escaleras e invadieron la ciudad, la cual, como Eneas había visto, no tenía fuerza para repeler su ataque.

Turno se había abierto paso hasta los límites del campo de batalla. No obstante, pronto oyó gritos de que la ciudad estaba siendo asaltada, por lo que comenzó a reunir a sus hombres para volver a Laurento y conseguir toda la ayuda posible. Mientras estaba en ello le salió al paso su hermana, Juturna, todavía disfrazada de guerrero rútulo:

—No te dirijas a Laurento, hermano mío, pues seguro que otros defenderán la ciudad. En vez de eso, demos muerte a cuantos troyanos podamos y hagamos menguar su número en el campo de batalla.

Turno reconoció a su hermana:

—Sabía que eras tú la que espoleó esta nueva contienda, en vez de permitir que el combate prosiguiera. Sí, voy a morir: lo sé y no me importa. Pero no deseo que se diga que Turno fue un cobarde que se negó a ayudar cuando se le imploró que lo hiciera.

Cuando terminó de decir esto, arribó un mensajero diciéndole que los troyanos ya se encontraban en las murallas de la ciudad, que el rey Latino aún merodeaba por el palacio y que la reina Amata se había quitado la vida, desesperada por la guerra que había iniciado. Turno, pues, se despidió de su hermana, diciendo:

— ¡Adiós! Me dirijo ahora hacia mi destino, cualquiera que sea este. Me enfrentaré a Eneas tal y como prometí, pues ningún hombre podrá decir que Turno falló en cumplir su palabra.

Turno se acercó a la ciudad, y cuando llegó les gritó a los rútulos que se retiraran para que pudiera salir al paso de Eneas como habían acordado hacer aquel día. Los soldados interrumpieron la contienda y le abrieron paso, y Eneas, habiendo oído el reto de Turno, dirigió sus pasos hacia el lugar donde se encontraba su enemigo. En ese momento comenzó el combate individual que iba a decidir no solo los destinos del Lacio, sino de toda Italia.

En primer lugar, los dos guerreros lanzaron sus jabalinas, pero ninguno de los dos hirió al otro con ella. Después, desenvainaron las espadas. Se asestaron golpe tras golpe con los filos y contra los escudos, pero no había un claro vencedor hasta que Turno le propinó a Eneas un fuerte golpe que este bloqueó con su escudo. Turno no estaba usando su espada: en su apresuramiento, había tomado la espada del conductor de su carro de combate, la cual no se había fabricado para golpear aquel escudo divino. La espada se quebró, y lo único que quedó de ella fue la empuñadura y un trozo de la hoja. Turno se dio la vuelta y huyó, y Eneas salió corriendo tras él, veloz como un perro de caza tras su presa. Turno pidió una espada mientras huía, pero Eneas amenazó con matar a cualquiera que le pasara una. Así, dieron cinco vueltas por el espacio donde estaban peleando hasta que Eneas se paró junto al olivo que se encontraba junto al lugar, en el cual había clavado su lanza a primeras horas de aquel día. Mientras Eneas se afanaba en extraer su lanza, Turno rogó al dios Fauno, al cual se había consagrado el árbol, que retuviera firmemente la lanza en él. Fauno oyó la oración de Turno, y mientras Eneas se hallaba distraído, Turno pudo acercarse a su carro y tomar su propia espada, la cual le había pasado Juturna, aún disfrazada. Venus reparó en que Turno estaba armado de nuevo. Usó su poder para obligar a Fauno a permitir a Eneas recobrar su lanza, por lo que ambos guerreros se encontraron de nuevo frente a frente en espacio abierto, armados y listos para el combate.

Desde una nube cercana, los dioses observaban el enfrentamiento de Eneas y Turno. Júpiter se giró hacia Juno y le dijo:

— ¿Qué, has decidido dejar que el Hado siga su curso de una vez? ¿Por qué estás aquí, y no asistiendo a tu combatiente en el campo de batalla? ¿O debería alegrarme, ya que por fin te dignas a obedecer mis órdenes?

Juno le contestó:

—Por mi parte, he abandonado a Turno. No hay nada ya que pueda hacer, pues no se puede luchar contra el Hado. Pero te aseguro que, aunque le haya pedido a Juturna que espoleara el conflicto entre troyanos y latinos, yo no le ordené que tomara las armas ni que empezara la lucha que ahora vemos ante nosotros. Dejo a un lado mi deseo de boicotear a Eneas, pero te pido que se les permita a los latinos preservar su lengua y sus costumbres tras la conquista de los troyanos, y que el nombre de su gente y de su tierra permanezcan tal y como están, y que el de Troya se olvide para siempre.

Júpiter accedió a ello. Juno, satisfecha, le retiró a Turno y a los latinos su favor y regresó al Olimpo. Cuando se marchó, Júpiter envió a una furia al campo de batalla disfrazada de búho para decirle a Juturna que no debía seguir asistiendo a su hermano de ningún modo. Tanto Turno como Juturna se dieron cuenta de ello. El valor de Turno flaqueó, y Juturna, volviendo a su verdadera forma, le dedicó una despedida entre lágrimas a su hermano antes de sumergirse en el río.

Eneas vio a Turno vacilar:

– ¿Qué te ocurre, ahora temes enfrentarte a mí en combate? Bien valiente que fuiste cuando tenías a tu ejército a tu lado. ¿Ahora no quieres confrontarme?

Turno dijo:

–No es a ti a quien temo, sino a desagradar a los dioses.

Buscando la manera de derrotar a su oponente, Turno encontró una roca inmensa en el campo; una piedra de tal tamaño que sería necesaria la fuerza de varios hombres para levantarla. Sin embargo, Turno era un héroe de los de antaño, y la fuerza estaba con él, ya que de lo contrario no habría recibido el mensaje de la furia. Alzó la piedra sobre su cabeza y se la arrojó a Eneas con todas sus fuerzas, pero la piedra no le alcanzó. Eneas aprovechó su oportunidad, tirándole la lanza a Turno con todas sus fuerzas. Turno pudo atraparla con su escudo, pero el golpe de Eneas fue tan potente que lo atravesó, abriendo un gran agujero en el muslo de Turno. Eneas tomó su espada y se abalanzó sobre su contrincante, que tenía una rodilla en tierra.

–No espero clemencia de ti– le dijo Tuno –pero clemencia te pido. Si me la concedes, te juro solemnemente que me retiraré de este lugar y que jamás volveré a entrar en guerra contra ti ni contra tu pueblo, y que no pelearé por la mano de Lavinia. No obstante, si decides matarme, que así sea, pues ¿quién puede sustraerse al Hado?

Solamente te pido, en ese caso, que le hagas llegar mi cuerpo a mi padre Dauno una vez hayas cumplido tu cometido.

En un primer momento, Eneas flaqueó, pues sintió piedad de Turno. Sin embargo, vio que Turno llevaba el cinturón que le había sido arrancado al cuerpo de Palas, y su ira volvió a invadirle.

—Eres un traidor, Turno, por haber comenzado una guerra innecesaria —dijo. —Ahora pagarás el precio de tus actos, y por la muerte del hermoso Palas, cuyo cuerpo tú mismo expoliaste.

Una vez dicho esto, Eneas tomó su brillante espada y la hundió en el pecho de Turno, enviando el alma de aquel guerrero de un vuelo al Hades.

La historia de la fundación de Roma

Según el historiador griego clásico Plutarco (cuyo nombre romano era Lucio Mestrio Plutarco, 45-127 EC) observa en sus Vidas, *existen muchos mitos sobre los orígenes de Roma. Algunos de ellos atribuyen el origen de la ciudad a una mujer llamada Roma, otros a un hombre llamado Romano, hijo de Ulises (el griego Odiseo) y de Circe. Sin embargo, los fundadores más comúnmente aceptados eran los gemelos Rómulo y Remo, a los que su familia desterró cuando eran bebés y amamantó una loba, y a los que se tomó como los fundadores del linaje de los Claudios, quienes gobernaron el Imperio Romano durante varias generaciones. A pesar de ello, hay dos relatos que difieren acerca de cómo se concibió a los gemelos y cómo nacieron. Plutarco dice sobre estas narraciones que la que los presenta como hijos de Rea Silvia (y a través de ella, como descendientes de Eneas) parece ser la que creía más gente, y sitúa sus orígenes en diversas fuentes griegas. Tanto Plutarco como el historiador romano Livio recalcan que, en esta versión de la historia, se cuestionaba la paternidad de los gemelos. Algunas dicen que su padre era Marte, mientras que otras afirman que fueron concebidos a través de una violación incestuosa cometida por su tío, Amulio. Como buenos historiadores que intentan redactar una crónica de todo lo que saben acerca de la fundación de la ciudad, ni Plutarco ni Livio toman partido por ninguna versión en particular, pero ya que ante todo estamos interesados en presentar una buena historia, nos hemos decantado por continuar con la línea temporal de la narración como tal.*

Después de que la guerra entre los troyanos y los griegos terminara con el saqueo de Troya, el héroe Eneas condujo al pueblo troyano a través de muchos viajes hasta asentarse en Italia, a orillas del Tíber. Tras tomar a Lavinia, la hija del rey del Lacio, en matrimonio, Eneas mandó construir una ciudad nueva, a la cual puso el nombre de Lavinio en honor a su esposa. Eneas tenía un hijo, Ascanio (al que a veces se le conocía como Julo) de su primera mujer, una troyana llamada Creúsa, pero cuando Eneas murió, Ascanio todavía era demasiado joven para convertirse en el gobernante de Lavinio. Por ello, su madre gobernó en su lugar como regente.

Cuando Ascanio alcanzó la mayoría de edad, deseó fundar una ciudad propia. Dejando el gobierno de Lavinio a su respetada y competente madrastra, Ascanio viajó hacia el sur y halló un lugar adecuado al pie del monte Alba, donde comenzó a construir su ciudad, a la que llamó Alba Longa. Después de la muerte de Ascanio, su hijo Eneas Silvio gobernó Alba Longa, y lo mismo hizo su hijo Latino Silvio tras él, y así con todos los miembros de aquella familia, que llevaban el apellido Silvio.

Durante muchas generaciones, la familia Silvia rigió Alba Longa, hasta que Proca llegó a ser rey. Proca tenía dos hijos, Amulio y Numitor. Numitor era el mayor, y Proca lo nombró como su heredero. Sin embargo, Amulio era codicioso y estaba sediento de poder, por lo que sacó a Numitor del trono y tomó el poder de Alba Longa en sus manos. Amulio mató a todos los hijos de Numitor, capturó a la hija de su hermano, Rea Silvia, y le otorgó el cargo de vestal para que viviera virgen para siempre en el templo de Vesta y sirviera a esta diosa del hogar, sin que pudiera casarse ni engendrar un hijo que pudiera reclamar legítimamente el trono.

Estos hechos no supusieron obstáculo para la voluntad de los dioses, ya que un día Marte bajó de las alturas y tomó a Rea Silvia para sí. Ella pronto descubrió que estaba encinta. Aunque trató de mantenerlo en secreto (pues los castigos para una vestal que quebrantara sus votos eran extremadamente severos), no podía ocultar su estado permanentemente, y dio a luz a dos gemelos a su debido tiempo. Cuando Amulio lo descubrió, entró en cólera. Encerró a Rea Silvia en prisión y ordenó que metieran a los niños en una cesta de juncos y la lanzaran a la corriente del río Tíber.

La cesta flotó río abajo hasta arribar finalmente a las orillas del río. Una loba que se acercó a beber se topó con la cesta, y al ver que contenía a dos infantes sin madre, les ofreció sus propios pezones para que se amamantaran. De esta forma, un pastor de Amulio conocido como Fáustulo encontró a los dos niños bajo el amoroso cuidado de la loba. Apiadándose de los niños, Fáustulo se los llevó a casa y se los dio a su esposa, Larencia, para que les diera de lactar.

Bajo el cuidado de Fáustulo y Larencia, los niños, a los que llamaron Rómulo y Remo, crecieron hasta convertirse en jóvenes altos y fuertes. Ayudaban a su padre adoptivo en su trabajo, cazaban en los bosques, practicaban con el arco y la lanza, luchaban y boxeaban. Pronto se convirtieron en personas respetables en la hacienda de Fáustulo por su coraje y fuerza, por su honestidad y por la manera en la que salían en defensa de los débiles cuando los fuertes les oprimían. De hecho, uno de sus pasatiempos favoritos era mantenerse a la espera de ladrones, despojarlos de su botín y repartir los bienes entre los pastores locales. No transcurrió mucho tiempo hasta que Rómulo y Remo reunieron un grupo leal de jóvenes dispuestos a hacer todo lo que los hermanos les pidieran.

Un día, durante la celebración de las fiestas en honor a Pan, un grupo de atracadores decidió vengarse de los gemelos mientras los jóvenes corrían desnudos por el lugar en honor al dios. Los ladrones les tendieron una emboscada a los mozos mientras celebraban el festival. Mientras que Rómulo pudo forcejear y liberarse, Remo cayó preso y fue llevado ante Amulio, acusado de liderar una banda de ladrones que habían estado realizando pillaje por las tierras de Numitor, al cual Amulio había permitido instalarse en un terreno cercano a Alba Longa. Así pues, enviaron a Remo ante Numitor para que recibiera su castigo.

En ese momento, aunque Fáustulo había estado sospechando durante un tiempo que Rómulo y Remo eran los hijos gemelos de Rea Silvia condenados por Amulio a morir de frío, no le dijo a nadie nada sobre ello en un intento por proteger a los niños de su malvado tío. Sin embargo, viendo que Remo había sido llevado ante el rey, Fáustulo le reveló esta historia a Rómulo, contándole toda la verdad sobre su ascendencia y cómo fue acogido en la cabaña de un pastor. Remo, mientras tanto, permanecía preso en los dominios de Numitor. Durante el interrogatorio a este joven cautivo, Numitor llegó poco a poco a la misma conclusión que Fáustulo, aunque en aquel momento dejó correr el asunto.

Al escuchar la verdad sobre su linaje y el de su hermano, Rómulo temió por la vida de Remo, y deseó tomar venganza contra su tío por sus fechorías. Así pues, Rómulo reunió a un grupo de sus amigos y se encaminaron al palacio de Amulio, donde pronto se juntó con Remo, al cual Numitor había liberado y había juntado a su propio grupo de compañeros. Todos juntos, los hermanos y sus amigos, irrumpieron en el palacio, y allí mismo, Rómulo mató al rey.

Cuando Numitor se enteró del asalto a palacio, en un primer momento reunió guardias para ocuparse de lo que se suponía que era una invasión extranjera. Sin embargo, cuando Rómulo y Remo se acercaron adonde él al frente de su grupo de amigos y proclamaron rey a Numitor, este convocó a todos los nobles de la región a una sesión del consejo. Allí les contó a los nobles el relato de cómo Amulio había usurpado el trono y matado a todos los descendientes de Numitor, y de cómo Amulio mantuvo cautiva a Rea Silvia y condenó a Rómulo y Remo a morir de frío. Les explicó que Rómulo y Remo eran sus propios nietos, y que el vil Amulio había encontrado la muerte en respuesta a sus crímenes. Los nobles y el pueblo proclamaron alegremente a Numitor como su legítimo rey, así que este ascendió al trono de Alba Longa.

Aunque los gemelos podían esperar heredar Alba Longa tras la muerte de su abuelo, no querían esperar para tener una ciudad a la que gobernar. Por ello, partieron de Alba Longa en busca de un lugar más cerca de donde habían sido adoptados para fundar un nuevo asentamiento. A orillas del Tíber, encontraron un lugar que les pareció bueno donde el río discurría entre siete colinas. Rómulo pensó que la Colina Palatina era, de lejos, el mejor emplazamiento; en parte porque se hallaba más cerca de donde les habían encontrado cuando eran bebés, pero Remo discrepó. La Colina Aventina, dijo Remo, tenía un mejor aspecto, ya que era menos empinada y, por lo tanto, más fácil de edificar, y que esa era una razón de mayor peso que a la que se aferraba Rómulo. A su vez, también quedaba pendiente el tema de quién gobernaría la ciudad una vez esta hubiera sido erigida. Dado que Rómulo y Remo eran gemelos, ninguno de los dos podía afirmar que tenía más derecho que el otro a reclamar el trono basándose en su edad. Los hermanos debatieron largo y tendido sobre lo que debían hacer, aunque ninguno se plegó a los deseos del otro.

Deseando resolver este desacuerdo de manera pacífica, se presentaron ante Numitor para pedirle consejo. Numitor les sugirió que determinaran las acciones a tomar según un augurio, ya que, con toda seguridad, una señal de los dioses sería una mejor guía en una empresa tan elevada como la fundación de una ciudad. Los hermanos estuvieron de acuerdo en que este era un sabio consejo, así que regresaron a su lugar a orillas del Tíber con sus seguidores. Remo declaró que la Colina Aventina sería el lugar desde donde buscaría un augurio, mientras que Rómulo se situó en el Palatino. Mientras observaban, una bandada de seis buitres sobrevoló la Colina Aventina, lo que Remo interpretó como un signo de que su causa era justa. Sin embargo, Rómulo informó que había avistado doce buitres sobre la Colina Palatina. Ya que no habían determinado de antemano cómo debían interpretar el augurio, Remo se autoproclamó como vencedor porque había sido el primero en avistar a los pájaros desde su colina, mientras que Rómulo afirmaba que el premio debía ser para él porque había sido el que había visto un mayor número de aves. Esta vez, la discusión acabó a golpes, y en el combate que le siguió, Rómulo mató a su hermano, convirtiéndose con ello en el único gobernante del nuevo reino.

Tras ordenar que se le diera a Remo adecuada sepultura, Rómulo se dispuso a construir su nueva ciudad. En primer lugar, aró un surco a una cierta distancia de donde debían ir las murallas de la ciudad para marcar sus límites. Acto seguido, comenzó a construirlas. Cuando llegó el momento, Rómulo estableció leyes y un sistema de gobierno, adoptando la tradición etrusca de nombrar a doce lictores, consejeros que asesoraban al rey y le ayudaban a impartir justicia. Al mismo tiempo, Rómulo designó a cien senadores para asistirle en la creación de leyes.

Sin embargo, había una cosa que faltaba en este nuevo estado: no había suficientes mujeres entre los pobladores, y, por consiguiente, faltaban niños que continuaran con sus leyes y costumbres una vez que sus padres ya no estuvieran allí. Así pues, Rómulo envió emisarios a numerosas ciudades vecinas para preguntarles si alguna de sus familias o mujeres estaría dispuesta a participar en este nuevo proyecto a orillas del Tíber. Sin embargo, en ningún lugar hallaron los emisarios a nadie que deseara abandonar sus hogares e instalarse en la nueva ciudad, a la cual ya se la conocía como Roma en honor a su fundador. Rómulo y sus compañeros se tomaron esto como un gran insulto. Decidieron, pues, que, si no se les permitía tomar esposas por las buenas, las tomarían por la fuerza.

En consecuencia, los romanos anunciaron que celebrarían unos grandes juegos en la fiesta de Consualia, un festival de la cosecha en honor a Neptuno. Enviaron invitaciones a todas las ciudades vecinas y llevaron a cabo preparativos para los deportes y los banquetes.

Cuando llegó el momento, las gentes de todos los distritos de la contornada aceptaron la invitación, acudiendo de buen grado a seguir las competiciones y homenajear al dios. El pueblo sabino se presentó en un número particularmente alto, llevando consigo sus esposas e hijas, así como también hicieron las familias de otras tribus vecinas.

Sin embargo, los juegos y los banquetes no eran más que una treta. A la señal de Rómulo, los romanos se abalanzaron sobre las mujeres jóvenes que habían asistido al festival y las arrastraron ciudad adentro. Las familias quedaron indignadas, y exigieron que les devolvieran a sus hijas, pero los romanos se negaron, diciendo que ellos también tenían derecho a casarse y tener hijos, y que había sido injusto que sus vecinos se lo negaran. Los romanos, a cambio, les prometieron que tratarían bien a las mujeres, y que sus familias no tenían motivos para preocuparse por ese asunto.

Esto, claro está, no satisfizo a las familias. Se dirigieron adonde Tito Tacio, el rey de los sabinos, para pedirle que se alzara en armas para rescatar a sus hijas. Al ver que Tito no actuó con la suficiente premura, las otras tribus juntaron sus propios ejércitos y atacaron Roma conjuntamente. Sin embargo, su campaña estaba mal concebida y desorganizada. En poco tiempo, Rómulo y sus tropas despistaron a los ejércitos atacantes y tomaron sus propias ciudades. Antes de que los romanos pudieran expoliar las ciudades y matar a sus moradores, Hersilia, la esposa de Rómulo, le rogó a su marido que les perdonara la vida a los ciudadanos, pues sus hijas cautivas le habían solicitado que se lo pidiera. Rómulo aceptó, pero con la condición de que se unieran al estado romano. Los ciudadanos aceptaron esto de grado. Algunos de ellos se mudaron a la propia Roma, mientras que algunos romanos crearon sus haciendas en los distritos derrotados, logrando así expandir el dominio de Rómulo y haciendo las paces entre las viejas ciudades y la nueva.

Aunque Tito Tacio no había participado en los primeros asaltos a Roma, no se había quedado de brazos cruzados. Reunió a su ejército y trazó un plan con sumo cuidado. En primer lugar, uno de los generales sabinos sobornó a una mujer sabina para permitir que algunos soldados de su pueblo entraran en la ciudadela de Roma. Tras esto, mataron a la mujer (aunque no se sabe muy bien por qué), y pronto la ciudadela se halló en manos de los sabinos. Rómulo reunió a su ejército y la puso bajo asedio, aunque los sabinos no iniciaron la batalla antes de que los romanos se encontraran a las puertas de la ciudad. El combate les fue bien a los romanos hasta que a su general más importante le dieron muerte. Cuando esto sucedió, las líneas romanas se replegaron y los soldados comenzaron a huir de los sabinos. El mismísimo Rómulo quedó atrapado en su huida hacia las puertas. Le imploró a Júpiter que les diera la victoria, prometiéndole erigir un templo en honor al dios si tenían éxito y derrotaban a los sabinos. Rómulo animó a sus tropas gritándoles que el dios Júpiter en persona le había ordenado que los romanos se dieran la vuelta y lucharan, y este gesto cambió el curso de la batalla.

En vista de que sus hombres estaban siendo masacrados, las mujeres sabinas salieron de la ciudadela. Se colocaron entre los combatientes, afirmando que preferían morir antes que presenciar esta contienda entre sus padres y maridos. Al oír esto, los sabinos y los romanos bajaron las armas y acordaron una tregua, poniendo los territorios sabinos bajo el gobierno de Roma.

Así pues, Rómulo había reforzado su autoridad y fundado sólidamente su ciudad. Aunque aún hubo algunas guerras más en los años siguientes, los romanos salieron victoriosos de todas ellas. Rómulo gobernó bien y sabiamente, y era respetado tanto por su propio pueblo como por sus aliados. Bajo su mandato, Roma disfrutó de un largo período de paz.

Entonces sucedió que un día, mientras Rómulo estaba pasando revista a su ejército en el Campo de Marte, se desató una tormenta con gran aparato de truenos. Una nube envolvió a Rómulo, ocultándolo de la vista de sus hombres. Cuando la tormenta pasó y la nube se disipó, nadie halló a Rómulo por ningún lado. Los senadores que habían estado sentados al lado del rey dijeron que Rómulo había sido llevado a las alturas por medio de una tormenta divina, y que su rey ahora gobernaba entre los mismos dioses como inmortal. Un senador, Proclo Julio, dijo que Rómulo se le había aparecido en un momento posterior y que le había comunicado que era su voluntad que el estado romano prosperara y floreciera, y que se convirtiera en la mismísima capital del mundo. El pueblo convino en que, con toda seguridad, su rey había sido ascendido a la inmortalidad, y así, se afanaron en seguir su orden de que Roma se convirtiera en el mayor estado de la Tierra.

El rapto de Lucrecia

A diferencia de muchos mitos, la historia de Lucrecia parece estar basada en hechos históricos. Esta leyenda se usaba a menudo para explicar por qué se derrocó la monarquía romana y se instauró una República en su lugar. La versión que presentamos aquí está basada en el relato del historiador romano Livio.

Cuando Lucio Tarquinio Superbio era rey de Roma, deseó realzar la grandeza de su ciudad; primero, mediante la construcción de un gran templo a Júpiter, y más tarde, iniciando otros proyectos de obras por toda la ciudad. Para conseguirlo, reclutó los talentos y el buen hacer de artesanos y arquitectos de todo el país. Aunque no les importó erigir un templo en honor a su dios principal, les irritaba que Tarquinio siguiera utilizándoles como si fueran esclavos una vez este estuvo listo. Por ello, y por otras razones, Tarquinio estaba bien resentido con el pueblo romano.

A Tarquinio se le ocurrió apaciguar su insatisfacción repartiendo los expolios de la guerra contra Ardea, la ciudad de los rútulos. Sin embargo, esta no era su única razón para hacerlo, ya que además de despojar a los rútulos de sus riquezas, Roma también podría beneficiarse con ello expandiendo su poder en un nuevo territorio. Por ello, comenzaron los preparativos para la guerra, y el ejército romano se puso en camino a Ardea. No obstante, el ataque a la ciudad fracasó, y los romanos se vieron obligados a sitiarla.

Aguardar a que comience un asedio es un trabajo duro para cualquier soldado, y pronto los jóvenes oficiales del ejército empezaron a matar el tiempo comiendo y bebiendo. Un día, mientras estaban bebiendo en la tienda de Sixto Tarquinio, hijo del rey de Roma, sucedió que alguien sacó a colación el tema de las esposas, y los hombres se pusieron enseguida a presumir de las suyas y a ver quién tenía la mejor y la más noble. Así pues, la discusión se alargó hasta que Lucio Tarquinio Colantino dijo:

—Sé cómo zanjar este asunto, y además, hacer que os enteréis de que mi Lucrecia es, sin lugar a dudas, la mejor esposa de todas. Vayamos a nuestros hogares en secreto y veamos qué es lo que están haciendo nuestras esposas. Esto nos mostrará cuál es la más noble de todas.

Sixto y los demás estuvieron de acuerdo en que la idea de Colantino tenía sentido, por lo que subieron a sus caballos y regresaron a Roma. Llegaron al final del día y vieron que, mientras las demás mujeres estaban ocupadas celebrando banquetes y fiestas, en Colatia, Lucrecia se hallaba sentada al telar, trabajando pacientemente la lana brillante a pesar de que la noche ya había caído. Todos los hombres convinieron en que Colantino había ganado la disputa, pues Lucrecia era claramente la mujer más virtuosa. Acto seguido, los hombres se presentaron ante las puertas de la casa, donde Colantino le presentó sus amigos a su mujer. Lucrecia les brindó a todos una cálida bienvenida digna de una gran anfitriona. Pronto se dispuso una comida para Colantino y los demás, pero mientras estaban comiendo, Sixto no podía apartar sus ojos de Lucrecia. Comenzó a sentir una lujuria salvaje por ella, y el deseo de tener su belleza y su virtud para él solo, a pesar de que era la esposa de otro hombre. Sin embargo, no hizo nada al respecto, y una vez acabada la comida, no le contó nada de ello ni a Colantino ni a los demás.

No importaba lo que intentara hacer: Sixto no podía apartar a Lucrecia de su mente. Así pues, una noche abandonó el campamento junto con uno de los esclavos, pero sin decirle a nadie adónde iba, y regresó a la casa de Colantino. Allí, Lucrecia lo recibió como un amigo de su esposo sin hacerle preguntas, y le ofreció de grado la hospitalidad de su casa. Se les preparó y se comieron una comida, tras la cual, Lucrecia condujo a Sixto a una habitación para invitados donde podría pasar la noche. Durante la comida, Sixto tuvo con Lucrecia el decoro apropiado para dirigirse a una matrona romana, pero una vez que el servicio se hubo retirado a descansar y percibió que todos estaban sumidos en un profundo sueño, tomó su espada y se deslizó silenciosamente hacia la habitación de Lucrecia.

Suavemente, Sixto abrió la puerta y se metió en la cama. Sujetó a Lucrecia con una mano, y puso su espada en su cuello con la otra, con lo que ella se despertó.

— ¡Silencio! –le dijo Sixto con un suspiro bronco. –Si haces el más mínimo ruido, morirás.

Lucrecia vio que no tenía más salida que obedecer, así que allí se quedó: desnuda y tumbada en su lecho matrimonial, mientras, por turnos, Sixto la amenazaba y le confesaba su ardiente amor por ella. Viendo que no la iba a convencer ni con palabras melosas ni con amenazas violentas, Sixto dijo que si no se plegaba a sus deseos, mataría al esclavo que le había acompañado y diría que lo había hecho porque había encontrado a Lucrecia y a este esclavo entrelazados en un abrazo amoroso. Al final, esto quebró la resistencia de Lucrecia, ya que, si bien no temía a la muerte, no podía soportar la vergüenza que le sobrevendría si sucedía lo que Sixto le estaba proponiendo. De esta manera, Sixto pudo conseguir lo que quería de ella. Una vez satisfecho su malévolo deseo, Sixto llamó a su esclavo y se encaminaron de vuelta al campamento.

En cuanto Sixto se hubo marchado, Lucrecia envió a dos mensajeros, cada uno con un mensaje idéntico, uno a su marido y otro a su padre; rogándoles que encontraran a un amigo leal y llegaran a su casa inmediatamente, pues había pasado algo terrible. Espurio Lucrecio llegó poco después con su amigo Publio Valerio, y Colantino, con Lucio Junio Bruto, un sobrino del rey. Los hombres entraron en la casa y hallaron a Lucrecia en su alcoba, donde se encontraba sentada y llorosa.

Colantino se acercó a su mujer. Se sentó a su lado y le preguntó qué le aquejaba.

—Nuestro lecho matrimonial ha sido profanado, esposo mío, y aunque mi espíritu le rechazó, mi cuerpo no pudo hacerlo. Sixto Tarquinio llegó hasta aquí con un pretexto falso, fingiendo ser un amigo de nuestra casa, pero su único propósito era forzarme y saciar su lujuria conmigo. Os lo ruego, que ninguno de vosotros descanse hasta que Sixto haya sido severamente castigado por su felonía.

Los hombres quedaron horrorizados con su relato, y trataron de consolar a Lucrecia diciéndole que era Sixto quien en realidad tenía la culpa y no ella, pues todos sabían que era una mujer honesta y de probada virtud. Sin embargo, nada de lo que pudieran decir sirvió para limpiar su conciencia del sentimiento de culpabilidad, por lo que ella tomó una daga que llevaba escondida entre sus ropas y se apuñaló a sí misma en el corazón. Tanto su marido como su padre lanzaron un grito de dolor mientras el espíritu de Lucrecia abandonaba su cuerpo, y se dejaron invadir por el duelo. Sin embargo, Bruto se acercó al cadáver de Lucrecia y extrajo la daga. La sostuvo en alto, goteando la sangre de esta esposa pura, y juró con gran elocuencia que no solamente le exigiría justicia a Sixto, sino al mismísimo Tarquinio y a toda su casa. Dicho esto, les pasó la daga a los demás para que también pudieran prestar juramento. Al principio, los demás no sabían qué hacer, pues sabían que Bruto era un hombre bastante lento y estúpido. Sin embargo, esto era una treta, ya que el hermano de Bruto había sido ejecutado por su tío el rey, por lo que Bruto se propuso no hacer nada que pudiera despertar las sospechas de Tarquinio hacia él, a pesar de que Bruto lo odiaba para sus adentros y esperaba a la oportunidad precisa para tomar su revancha.

Habiendo jurado vengar a Lucrecia, los hombres llevaron el cadáver de la mujer a la plaza e hicieron pública la traición de Sixto a toda Colatia. Uno por uno, otros ciudadanos dieron un paso al frente para denunciar al príncipe y mencionar otras felonías que también había cometido contra ellos. En particular, Bruto les incitó a darle vueltas a estos entuertos y a tomar las armas en rebelión. Tanto el duelo por la violación y la muerte de Lucrecia como el cambio repentino en Bruto espolearon al pueblo a mostrar un ánimo guerrero.

Reuniendo a un grupo de guerreros armados, Colantino y Bruto abandonaron las tierras de Colatia y se dirigieron adonde el padre de Lucrecia, y partieron hacia Roma. Cuando llegaron, las gentes se asustaron y se preguntaron qué desgracia podría haber pasado, puesto que reconocieron a Colantino y a Bruto, que eran hombres importantes de familias poderosas. Cuando Colantino, Bruto y sus compañeros llegaron al Foro, Bruto envió pregoneros para convocar allí a la gente. Lo hizo amparado en la autoridad de su función como tribuno de Celeres, el capitán de la guardia personal del rey, quien era el segundo hombre al mando tras el rey y que tenía potestad para convocar una reunión de personas para decidir asuntos de estado importantes.

Cuando la gente se hubo reunido en el Foro, Bruto le dirigió un potente discurso, contándoles los delitos de Sixto Tarquinio, la muerte de Lucrecia y las injustas exigencias del rey para con los artesanos de la ciudad. También les recordó cómo Tarquinio había ascendido al trono: mediante el derrocamiento violento de Servio Tulio, su predecesor, y como Tulia, la esposa de Tarquinio e hija de Tulio, había aplastado el cuerpo de su padre pasando con su carro por encima de él, un acto de grave impiedad. El pueblo escuchaba extasiado todo lo que Bruto les relataba, en particular porque no se esperaban tal despliegue de elocuencia por su parte. Al final, Bruto animó al pueblo a unirse a su causa, y la gente estuvo de acuerdo en que había que mandar a Tarquinio Superbio al exilio, así como a su mujer e hijos.

Entonces, Bruto eligió representantes de entre quienes se ofrecieron voluntarios, los armó y marchó con ellos al campamento de Ardea para contarles a los soldados lo que estaba sucediendo, y si podían, para ponerlos en contra del rey. La defensa de la ciudad quedó a cargo de Lucrecio, quien tiempo atrás había sido investido como Prefecto de la Ciudad. Viendo el estallido de la ciudad y que el pueblo se había alzado en contra de su familia, la reina Tulia huyó de la ciudad, y todos los que la vieron la maldijeron por sus malvados actos y los de su familia.

La noticia del levantamiento de la ciudad llegó a oídos del rey antes de que Bruto y sus seguidores llegaran al campamento. Tarquinio partió con un grupo de soldados con el fin de calmar la revuelta. Sabiendo que el rey iría a Roma directamente, Bruto tomó una ruta diferente hacia el campamento para no encontrarse frente a frente con él. Tarquinio llegó a Roma para encontrarse no solo con que entrar a su propia ciudad le estaba vetado, sino que debía exiliarse de su propio reino. Mientras tanto, los soldados de Ardea ensalzaban a Bruto como su liberador. Expulsaron a los hijos del rey. Dos de ellos se fueron a Etruria con su padre, pero Sixto prefirió marchar a Gabio en su lugar. Esta resultó ser una mala decisión, ya que allí tenía muchos enemigos que le echaron en cara sus fechorías. Sixto no permaneció mucho tiempo en Gabio antes de que estos enemigos lo apresaran y mataran.

En Roma, Lucrecio continuó siendo el Prefecto de la Ciudad, y bajo su mandato, el pueblo eligió a dos cónsules, Colantino y Bruto, para que le ayudaran a gobernar. El poder de los cónsules estaba limitado a un año, y también se tomaron otras medidas para reforzar al senado y a la plebe, una asamblea constituida por familias que no eran de la nobleza. De este modo, tras doscientos cuarenta y cuatro años de monarquía, los últimos de los cuales habían transcurrido bajo el reinado de Lucio Tarquinio Superbio, Roma se convirtió en una República.

SEGUNDA PARTE: HISTORIAS DE HÉROES ROMANOS

Hércules y el gigante del Lacio

La Eneida *de Virgilio contiene mucho más que el relato del viaje de Eneas y los troyanos, y más que sus esfuerzos por fundar una colonia a orillas del río Tíber. En ella figuran también varias historias paralelas, incluyendo esta sobre el período que Hércules pasó en Italia y salvó a sus gentes de un gigante malvado. En la* Eneida, *Evandro cuenta la historia para explicar por qué su gente le ofrece un sacrificio a Hércules y celebra un festival cuando Eneas llega para pedirle ayuda en su guerra contra Turno.*

El gigante de esta historia se llama Caco, y le roba a Hércules (Heracles en griego) parte del ganado de Gerión mientras el héroe estaba llevándoselo de vuelta para mostrárselo a Euristeo y así completar su décimo trabajo. En muchas versiones griegas de la leyenda, Gerión y su ganado viven en una isla en algún lugar al oeste que normalmente se cree que estaba junto a la costa de España, y se le traslada de regreso a Tirinto por mar. Sin embargo, Virgilio se imaginó un traslado de ganado con un enorme recorrido a través de

Italia que incluye una parada en el Lacio, la antigua región bañada por el Tíber donde Roma se fundaría en un momento posterior.

Hércules, hijo de Júpiter, fue un poderoso guerrero al que un oráculo le ordenó que completara diez trabajos a petición de su primo, el rey Euristeo. El décimo de estos trabajos fue el robo del ganado de Gerión, un gigante feroz de tres cabezas y tres torsos que vivía en España. Con su fuerza y su habilidad, Hércules mató a Gerión y se llevó el ganado, el cual se llevó a través de España y condujo hasta Italia de camino a Tirinto, la ciudad de Euristeo en Grecia.

Al entrar en la hermosa tierra del Lacio bañada por el río Tíber, Hércules se puso a descansar un rato para que el ganado pudiera pastar la abundante hierba y beber en el río. Sin embargo, sin que el héroe tuviera conocimiento de ello, un gigante que escupía fuego vivía en las colinas del curso alto del río; un gigante que era el terror de todas las tierras circundantes. Caco era su nombre, el hijo de Vulcano, el dios de la forja, y no le gustaba otro tipo de carne que no fuera la humana. Y lo que era peor: no tenía suficiente con capturar y comerse a hombres y mujeres desprevenidos, sino que colgaba sus cabezas llenas de podredumbre alrededor de la entrada de su cueva como trofeos.

Sucedió que Caco se asomó a la entrada de su cueva y vio a Hércules conduciendo al ganado a pastar cerca del río. El gigante nunca había visto antes un ganado tan fino, y le entró un gran deseo de quedarse con algunas reses para sí. Sin embargo, tenía miedo de la fuerza del héroe, por lo que esperó hasta que cayó la noche para ver si podía robar algunas de las bestias mientras Hércules dormía. Una vez el sol se hubo puesto completamente y las estrellas comenzaron a titilar en un cielo sin luna, Caco se arrastró fuera de su cueva y colina abajo. Agarró cuatro toros y cuatro vaquillas por el rabo, y de este modo, los estiró de regreso a su cueva, ya que al hacerles caminar de espaldas confundía sus huellas para que así Hércules no pudiera rastrearlos.

Por la mañana, Hércules se levantó y se dio cuenta de que faltaban ocho reses. Registró todo el lugar para averiguar adónde se habían ido, pero no halló signo de ellas. Dándolas por perdidas, reunió lo que quedaba de su aprisco y comenzó a guiarlo. El ganado comenzó a mugir en cuanto se puso en ruta, y allá en lo alto, en la cueva del gigante, sus amigas oyeron la llamada y les respondieron de la misma forma. Hércules oyó el mugido de las bestias cautivas. Se encaminó hacia el lugar de donde procedía el sonido, y cuando Caco vio que el héroe se aproximaba, empujó a los animales al fondo de su cueva y bajó la pesada piedra que usaba para sellar la entrada.

Hércules se acercó a la cueva, donde apenas podía oír al ganado robado llamando todavía a su aprisco. Una y otra vez intentó el héroe usar su fuerza contra la piedra, pero estaba atrancada por dentro con grandes cerrojos de hierro forjados por el mismo Vulcano; unos cerrojos tan pesados que ni siquiera la fuerza del poderoso Hércules bastaba para doblarlos. Hércules se abalanzó tres veces contra la puerta de piedra, y esta tembló tres veces, pero no se rompió. El héroe se alejó de la cueva y rodeó tres veces la colina tratando de encontrar una entrada. Furioso por haber sido burlado, Hércules subió a la cima de la colina, la cual estaba coronada por un pico de roca desnuda. Colocando sus manos en una grieta de la base de la cima, Hércules le dio un fuerte estirón y arrancó toda la cima de la colina, enviándola al fondo del valle y haciéndola pedazos.

Caco bramó enfurecido en cuanto el sol entró en su cueva a raudales. Hércules estaba en el borde del agujero, arrojándole al monstruo todo lo que estaba a su alcance. Bloques de piedra y ramas de árboles se desplomaban sobre la cueva que ahora no tenía techo. Caco se defendió escupiendo fuego y humo hacia donde estaba el héroe con la idea de, por lo menos, ocultarse de los proyectiles que le estaba lanzando, pero esto solo sirvió para enfurecer aún más a Hércules. Este saltó en medio del humo y buscó al gigante con sus propias manos. Daba igual que el gigante le lanzara llamas: no había nada que frenara a Hércules. El héroe encontró el cuello del gigante, y estrujándolo entre sus manos, estranguló al enorme monstruo hasta que cayó muerto.

Hércules abrió la entrada de la cueva, y las reses salieron corriendo al encuentro de sus compañeras en el prado que se hallaba bajo la colina. El héroe sacó el cuerpo del monstruo a plena luz del día junto con el botín que halló amontonado en los rincones de la cueva, el cual era el producto del pillaje constante que ejercía el gigante. El pueblo latino vio lo que Hércules había hecho y se regocijó porque el terror se había terminado. Desde ese día en adelante, en el aniversario de la muerte del gigante, le ofrecían un sacrificio a Hércules y celebraban un festival en su honor como muestra de su agradecimiento por librarles del gigante.

La historia de Atalanta

La historia de la heroína Atalanta existe tanto en fuentes griegas como romanas. Existe cierta confusión en cuanto a ciertos detalles de su historia. Por ejemplo, su padre recibe varios nombres, como Yaso, Ménalo o Esqueneo; y al pretendiente que la derrotó en la carrera para conseguir su mano se le conoce indistintamente como Melanión o Hipomenes, dependiendo del autor antiguo que se consulte. Sin embargo, todos ellos están de acuerdo en que Atalanta era muy atlética y tenía una gran destreza, que era incluso mayor que la de los hombres de su entorno. Por desgracia, también podemos comprobar que ni siquiera la heroica Atalanta puede escapar de los dictados patriarcales de la cultura grecorromana, ya que al final debe ser domada por un hombre que gana su mano no mediante el uso de sus habilidades y fuerza (que son menores que las de ella), sino mediante engaños.

Es interesante que en esta versión del relato, Ovidio haga que Melanión y Atalanta se encuentren al final de una de sus carreras, donde ella termina enamorándose de él en contra de su voluntad, mientras que en otras versiones el joven simplemente gana su mano y se la lleva lejos para convertirla en su esposa. Sin embargo, parece que era importante para Ovidio que Atalanta correspondiese a los sentimientos de Melanión, lo que hace que su distracción por los frutos dorados sea menos humillante que en otras versiones de la historia.

Historia del nacimiento y la crianza de Atalanta

Había una vez un rey en Arcadia llamado Esqueneo que tenía una encantadora esposa llamada Clímene. El reinado de Esqueneo fue próspero, y estaba en paz con todos sus vecinos, pero había algo que le causaba descontento a Esqueneo: no tenía un heredero al trono. Clímene se quedó encinta, y Esqueneo rogó a los dioses que le diera un hijo varón sano y hermoso. Sin embargo, cuando llegó el momento, Clímene dio a luz a una niña, a la que llamó Atalanta. Rabioso porque sus esperanzas se habían roto en pedazos de esta manera, Esqueneo tomó a la infante y la dejó a la intemperie en la ladera del monte Partenio con la idea de que, o bien se muriera de sed o de frío, o bien se la comieran las bestias salvajes.

No obstante, el plan de Esqueneo fracasó cuando una osa se acercó al pequeño bebé y le permitió mamar de sus pezones. Mientras Atalanta estaba al cuidado de la osa, una partida de cazadores pasó por aquella parte del monte. La osa salió corriendo de allí al ver a los cazadores acercarse, dejando al bebé en el sitio. Los cazadores se apiadaron de Atalanta, y se la llevaron a su hacienda, donde la criaron como si fuera su hija y la instruyeron en las artes de la caza. Atalanta creció alta y fuerte, convirtiéndose en una excelente arquera y en una lanzadora letal de la jabalina, y se hizo más rápida que cualquier otra criatura que se desplazara a pie. Se deleitaba con la caza y con las carreras. Muchos jóvenes la retaban a correr, ya que veían extraño y vergonzoso que una mujer le ganara a un hombre, pero no importaba lo mucho que lo intentaran: ninguno podía superarla. Atalanta les sacaba ventaja a todos.

El Jabalí de Calidonia

En aquel tiempo, Eneo era el rey de una región llamada Calidonia, la cual estaba siendo devastada por un jabalí salvaje monstruoso. La diosa Diana les había enviado este jabalí, ya que estaba furiosa porque durante una festividad, los calidonios les habían hecho ofrendas a todos los dioses, pero se habían olvidado de hacer siquiera una mínima ofrenda de incienso en su propio altar. El jabalí era tan grande como un toro adulto, y sus colmillos eran largos como los de un elefante, y más afilados que la hoja de la espada de un soldado. Un golpe de su aliento podía secar a su paso cualquier planta que estuviera creciendo. El jabalí arrasó la región de arriba abajo, destrozando los campos y carbonizando las cosechas. Arrancaba y pisoteaba las uvas en la misma cepa, mientras que tumbaba los olivos majestuosos de hojas pálidas y buenos frutos y les quebraba las ramas. La gente de la campiña huyó a la ciudad, buscando la protección de sus murallas, pero ni siquiera dentro de ellas se encontraban a salvo, ya que sus puertas no serían obstáculo para un monstruo de tal calibre.

Meleagro, hijo del rey Eneo, reunió a un grupo de héroes escogidos para cazar y dar muerte al jabalí. Entre ellos se encontraba Teseo, el que había matado al Minotauro, y su amigo Piritoo; los hijos de Éaco, los valientes Telamón y Peleo, padre del poderoso Aquiles; Laertes, el padre del viajero y astuto Ulises, y otros muchos además de ellos. Nunca se había reunido una partida de caza igual. Cuando Atalanta se enteró del plan de Meleagro, tomó su arco y su carcaj y se fue directa a Calidonia, ocupando su lugar entre estos grandes hombres que también habían llegado en busca de la gloria. Meleagro la miró de arriba abajo, y pensó que sería el hombre más afortunado de todos si lograba que ella lo amara.

Pero no había tiempo que perder en cortejos: la gran bestia debía ser aniquilada. Los cazadores partieron al bosque, con su jauría de perros olfateando y aullando por delante de ellos. Pronto se pusieron a seguirle el rastro al gran jabalí, el cual se había escapado sigilosamente de su escondite para adentrarse en un terreno pantanoso. Algunos de los cazadores le arrojaron sus jabalinas. Algunas fallaron por completo, y otras le dieron, pero se deslizaron por sus cerdas sin hacerle el más mínimo daño. El jabalí les atacó, asestando golpes de guadaña con sus colmillos a diestro y siniestro. Logró darles a algunos cazadores, abriendo sus muslos en canal con golpes como mandobles de espada. Algunos consiguieron escaparse subiéndose a los árboles. Incluso los perros le saltaron encima aullando a la bestia para salir renqueando cuando esta les embestía.

Al final, el jabalí emprendió la huida, dirigiendo sus pasos hacia un bosque frondoso. Atalanta cargó una flecha en su arco y apuntó con sumo cuidado. La lanzó, y la flecha alcanzó la amplia espalda del jabalí para acabar clavada en un punto detrás de su oreja. Meleagro sintió júbilo al ver la habilidad de Atalanta.

— ¡Atalanta le ha dado el primer golpe! –gritó. – ¡Un golpe así de diestro se merece una recompensa!

Sin embargo, los demás cazadores se avergonzaron, ya que no fueron ellos, sino una simple mujer, la que le había asestado el primer golpe, por lo que redoblaron sus esfuerzos para encontrar y matar al jabalí, pensando que con ello demostrarían su hombría. Un hombre llamado Anceo iba armado con una gran hacha.

— ¡Esta es el arma de un hombre! –gritó. –Va a lograr hazañas mucho mayores que las de cualquier mujer equipada con un arco.

Así pues, Anceo se puso al frente del grupo de cazadores, que estaban siguiendo ya el rastro del jabalí a la fuga. De pronto, el enorme monstruo se giró con tanta rapidez que parecía que se tambaleaba en su sitio. El jabalí se giró y se lanzó contra Anceo, que estaba esperando su carga con el hacha levantada. Estaba en posición de ataque, pero el golpe nunca cayó, ya que antes de que Anceo pudiera girar su hacha, el jabalí le asestó una cornada con sus colmillos en la ingle y le arrancó las tripas. Así es como los dioses castigan el pecado de la vanidad.

Teseo y Piritoo fueron los siguientes en probar suerte. Piritoo lanzó su jabalina, y aunque parecía que llevaba buen camino, se quedó clavada entre las ramas de un roble, por lo que no alcanzó su blanco. Teseo lanzó su propio tiro, y aunque este era digno de un héroe como él, también se desvió, alcanzando a un perro desafortunado. Meleagro, entonces, lanzó dos tiros. El primero se quedó corto, enterrando su punta dentro del suave lecho de la marisma, pero el segundo dio en el blanco, hundiéndose en la espalda dura como la roca del enorme monstruo.

Enloquecido de dolor y derramando sangre por todo el suelo del bosque, el jabalí se giró y embistió contra Meleagro. Sin embargo, el joven héroe estaba ya armado con otra lanza. Poniéndose rápidamente en pie, se dispuso a encajar el golpe del jabalí. La bestia cargó contra él, sin reparar en la punta brillante de la lanza que se hallaba en su camino. Meleagro respiró hondo y casi se tambaleó al ver la masacre que había dejado el jabalí a su paso. Sin embargo, la lanza estaba bien fabricada, y Meleagro era fuerte: el jabalí se agitó y frenó, y se desplomó en el suelo, muerto, con la lanza del príncipe bien hundida en su hombro y hasta su corazón por la fuerza de su propia arremetida.

Todos los cazadores festejaron la victoria de Meleagro y se acercaron a mojar las puntas de sus lanzas en la sangre brillante. Entonces, Meleagro dijo:

— ¡Ven, Atalanta! Esta victoria también es tuya, ya que tú le asestaste el primer golpe. Es por ello que te concedo el trofeo de esta caza.

Así pues, Meleagro arregló el cuerpo del jabalí y le dio su cabeza y piel a la cazadora arcadia, la cual se acercó para recibirlas de grado.

Los otros cazadores se indignaron y avergonzaron por el hecho de que una mujer fuera la que disfrutara del trofeo de la caza y recibiera honores por encima de ellos. Dos de ellos, una pareja de hermanos y tíos de Meleagro, dieron un paso al frente y le arrebataron la piel, diciendo:

—Esto no te pertenece. No te creas que vas a llevártelo, ya que se te ha dado a causa del mal de amores.

Lleno de ira por su prepotencia, Meleagro les gritó:

— ¿Os atrevéis a usurpar mi derecho a dar y el de Atalanta a recibir? Entonces, esta es la recompensa para aquellos que desprecian los actos en favor de las palabras.

Así pues, Meleagro tomó su lanza y se la clavó primero a un hombre y luego a otro, y con ello, ambos perecieron. Cuando se llevaron sus cuerpos a casa, su hermana, Altea, que era la madre de Meleagro, los lloró amargamente, y juró vengarse de Meleagro. Cuando este solo era un infante, una profecía anunció que viviría siempre y cuando un tipo de leña que estaba entonces en el hogar no quedara reducida a cenizas. Altea, pues, sacó los carbones ardientes del fuego y los sumergió en un cántaro con agua que había cerca de ella, salvándole la vida a Meleagro. Sin embargo, en ese momento tomó los carbones, que ella había mantenido apartados del resto para que la profecía no se hiciera realidad. Encendió un nuevo fuego en el hogar y lanzó en él los carbones. En otra parte de la ciudad, Meleagro sintió que su cuerpo se estaba quemando de dentro afuera. El príncipe se agitó en agonía durante todo el tiempo que los carbones estuvieron al fuego, y cuando finalmente se convirtieron en ceniza, su espíritu abandonó su cuerpo y se dirigió a la Tierra de los Muertos. Así falleció Meleagro de Calidonia.

La Carrera de Atalanta

Atalanta guardó luto por Meleagro, pues a ella también le gustaba el joven, ya que ningún otro hombre se había portado con ella como él actuó durante la caza. Queriendo averiguar dónde podría encontrar a un hombre igual, se dirigió a un oráculo para ver cuál podría ser su destino. El oráculo dijo:

— Los votos nupciales serán tu flagelo,

Sin que puedas librarte del hombre por ello;

Y por mucho que lo intentes, no podrás escapar,

Pues no serás la misma cuando te logres casar.

En vista de ello, Atalanta hizo un voto solemne de que nunca tomaría marido. Después de ello, se dirigió a lo más profundo del bosque, donde vivió como cazadora durante un tiempo, libre y salvaje. Al final, sin embargo, se enteró de quiénes eran sus verdaderos padres, y se fue a vivir con ellos.

En ese momento, Atalanta era una mujer de insuperable belleza, y se le acercaba pretendiente tras pretendiente tratando de conseguir su mano. Esqueneo la apremió para elegir a uno de ellos, pero ella los desdeñaba lanzándoles un reto. Al final, Esqueneo le preguntó:

— ¿Qué debo hacer para convencerte de que tomes marido?

Atalanta le respondió:

— Me desposaré con quien pueda superarme en una carrera a pie. Sin embargo, si soy yo la ganadora, los derrotados perderán sus vidas.

Esqueneo estuvo de acuerdo con las condiciones de Atalanta, por lo que se designó un lugar para celebrar la competición. Tal era el atractivo de Atalanta que muchos hombres se animaron a probar su velocidad contra la de ella, pero ningún hombre que lo intentara volvía jamás a su casa, pues ninguno de ellos resultaba ganador.

La historia del reto de Atalanta comenzó a difundirse por toda la región, y llegó a oídos de un joven llamado Melanión.

— ¿Cómo es— pensaba Melanión —que los hombres jóvenes están tan dispuestos a arriesgar sus vidas por una simple mujer? ¿Qué tiene esta Atalanta que los empuja a actuar así?

Así pues, Melanión decidió observar una de estas competiciones. Llegó a la pista de carreras y ocupó su lugar entre el resto de espectadores. Todos los jóvenes estaban en la línea de salida, estirándose y calentando sus cuerpos para la carrera. Y entonces, Atalanta llegó. Tenía tal elegancia, y su cuerpo gozaba de unas formas tan hermosas y era tan fuerte y flexible, que Melanión sintió que se quedaba sin aliento, y con ello, supo exactamente por qué estos jóvenes probaban suerte contra ella, por lo que decidió hacer lo mismo si ninguno resultaba vencedor en esta carrera. Se llamó a los corredores para que tomaran su lugar, y el juez dio la señal. Atalanta y los jóvenes salieron disparados y corrieron con todas sus fuerzas hacia la línea de meta. Melanión observaba embelesado, ya que Atalanta superó a todos y cada uno de los jóvenes y cruzó la meta en primer lugar, con mucha distancia de ventaja entre ella y su contendiente más cercano.

Mientras se reunía a los perdedores para ser llevados a su destino, Melanión se abrió paso entre la multitud hasta llegar a situarse cara a cara frente a Atalanta.

— ¡Oh princesa, quédate aquí un momento! —le dijo. —Corre contra mí, ya que solo yo soy digno de ser tu contrincante. Mi padre es Megareo de Oncesto, y mi abuelo no es otro que el mismísimo Neptuno.

Atalanta se quedó mirando al joven y se dio cuenta de que se sentía acalorada en su presencia, ya que era muy hermoso de cara y varonil de forma, y él le gustaba más que cualquier otro pretendiente anterior. Se dio cuenta de que deseaba que él no compitiera contra ella, puesto que no estaba segura de poder soportar verlo derrotado y, por lo tanto, ejecutado.

— ¿Por qué buscas algo que sabes que será en vano, y con ello pones en peligro tu vida? —dijo ella. —Vete de aquí, pues los Hados han decretado que no debo casarme. Seguro que hay muchas jóvenes que estarían muy honradas de ser tu esposa. Ve y busca entre ellas, pues aquí solo hallarás la muerte.

Sin embargo, Melanión insistió, y los otros espectadores que habían escuchado la conversación comenzaron a exigir que se celebrara una carrera. Muy pronto, se le comunicó a Esqueneo que se había presentado otro pretendiente, por lo que el rey ordenó que se celebrara otra carrera, de acuerdo con las normas del reto.

Se condujo a Melanión hacia la línea de salida, donde le rogó a la hermosa Venus que le ayudara. La diosa se apiadó del joven, y puso en sus manos tres manzanas doradas de uno de sus propios huertos. Atalanta se reunió con él al poco en la pista de carreras. Se dio la señal, y los corredores salieron.

Ningún otro hombre le había dado a Atalanta una carrera semejante. Ambos corrieron uno al lado del otro. Atalanta miraba a la cara al joven jadeante, y se preguntaba si debía simplemente dejarlo ganar, pues se había dado cuenta de que había conquistado su corazón. Sin embargo, se animó a sí misma con una resolución renovada, y comenzó a desmarcarse y a adelantarle.

Melanión corrió al lado de Atalanta, con los pies dando sonoras pisadas y su corazón desbocado. Se dio cuenta de que estaba empezando a adelantarlo, así que tomó una de las manzanas y la lanzó a un lado, sobre el camino de ella. Al ver un objeto brillante y refulgente, Atalanta se separó un poco de su camino para coger la manzana, dándole a Melanión una ligera ventaja. Sin embargo, esto no duró mucho, ya que pronto se había puesto a su altura y volvían a correr hombro con hombro. De nuevo, Melanión tiró una de las manzanas a un lado. De nuevo, Atalanta se fue a recogerla y a ponerse al lado del joven.

La línea de meta estaba cerca, y Atalanta se había puesto a la altura de Melanión cada vez que este le lanzaba una manzana. Con una última oración a la bendita Venus, tiró la última manzana a un lado, para luego acelerar en su carrera lo más que pudo hacia la línea de meta. Atalanta cargó tras recoger la brillante fruta. Se agachó para cogerla, y vio que Melanión le había tomado la delantera. Acelerando todo lo que le fue posible, Atalanta se lanzó a la carrera tras el joven, pero ya era demasiado tarde: su pérdida de tiempo y su carga de manzanas la ralentizaron, y cruzó la meta en segundo lugar.

Así pues, Melanión y Atalanta se casaron, y tuvieron juntos un breve lapso de felicidad, pero por desgracia, este fue muy breve. Melanión se había olvidado de hacerle una ofrenda a Venus en agradecimiento a su victoria, y la diosa no le perdonó este lapsus. Un día, mientras la joven pareja estaba cazando, se encontraron un viejo templo abandonado en mitad del bosque, un lugar consagrado a la diosa Cibeles. Venus puso en los corazones y los cuerpos de Melanión y Atalanta el deseo de yacer juntos, así que entraron en el templo, donde se dieron placer el uno al otro.

Cibeles observó la profanación de su templo y se enfureció al ver que dos mortales se atrevían a cometer tal ofensa. En un primer momento, pensó en matarlos allí mismo, pero decidió conducirlos a otro destino. Atalanta y Melanión se dieron cuenta de que sus dientes se transformaban en colmillos, y que había pelo rubio oscuro creciendo por todos sus cuerpos. Enmarañadas melenas brotaban de sus cabezas. Se pusieron a cuatro patas, con las uñas de sus dedos transformándose en garras y largas colas moviéndose detrás suya. Con la forma de leones, Cibeles los tomó y los unció a su carro, y este fue el final de los mortales Atalanta y Melanión.

La Búsqueda del Vellocino de Oro

La historia de Jasón y de la búsqueda del Vellocino de Oro encendió la imaginación de griegos y romanos por igual. El viaje épico del Argo, *tripulado por una colección de los más grandes héroes conocidos por los antiguos, nos lleva a un tour mágico por el mundo clásico, tanto el real como el mítico; un lugar poblado por reyes y reinas, dioses y diosas, monstruos y obstáculos imposibles de salvar. La escala de estas aventuras, su acción y los personajes y criaturas que conocemos según va avanzando la trama han servido de inspiración tanto para los cineastas modernos, como el visionario Ray Harryhausen, cuyo trabajo en la película de 1963* Jasón y los Argonautas, *entre otras, sigue marcando un antes y un después en la historia de los efectos especiales.*

Del mismo modo, la historia de la traición de Jasón a Medea y su venganza sobre él y sus hijos continúa fascinando al público moderno. Casi dos mil años después de que se escribiera, Medea, *del dramaturgo griego Eurípides, se sigue representando, incluyendo en un show importante de Broadway de 1994 protagonizado por la Dama del Imperio Británico Diana Rigg en el papel titular.*

Había una vez un rey en Yolco llamado Pelias. Se encontraba intranquilo ocupando el trono, ya que se lo había arrebatado a su medio hermano Esón por medios ilegítimos. Por ello, Pelias se cuidó de matar a todos aquellos que pudieran tener motivos para reclamar el trono, aunque le perdonó la vida a Esón.

Esón tuvo un hijo llamado Jasón. Sabiendo que Pelias trataría de matar al niño, Esón lo llevó en secreto con el centauro Quirón para que lo adoptara, mientras su esposa y él fingían ante el rey que su hijo había muerto. Quirón crió a Jasón como si fuera de su sangre, enseñándole todas las artes de la curación, la caza y la lucha con armas, o como leer las estrellas, cantar y tocar la lira.

Durante todos los años en los que Jasón estuvo con Quirón, Pelias siguió ocupando el trono de Yolco. Como su reinado seguía adelante, Pelias se sentía cada vez más satisfecho de haber eliminado a cualquier contendiente que pudiera haber aparecido. Sin embargo, aún le quedaba persistiendo una duda en el fondo de su mente, por lo que fue a visitar a un oráculo para que le dijera qué le deparaba el futuro.

—Oh poderoso rey, —dijo el oráculo, —nada de lo que oculta un hombre permanece oculto para siempre, ya que el cambio es algo ordenado por los dioses. Un día estás sentado en el trono, pero a su debido tiempo, tú también serás derrocado; en tu caso, por un hombre que solo llevará puesta una sandalia.

De este modo, Pelias supo que sus días como gobernante estaban contados.

No mucho después de que Pelias se hubiera enterado de la profecía del oráculo, Quirón miró a Jasón y vio que, aunque en sus mejillas y su barbilla apenas se dibujaba el vello, era alto y fuerte, y estaba bien entrenado y listo para salir a buscar su propia fortuna por el mundo. Le habló a Jasón de su linaje, y le dijo que su verdadero hogar era el reino de Yolco. Con la bendición de Quirón, Jasón se encaminó lleno de determinación a Yolco para ver su podía arrancarle de vuelta su derecho de nacimiento al malvado Pelias. De camino allá, llegó a un arroyo de aguas rápidas que bajaba crecido por las recientes lluvias y que no contaba con un puente, y no había ningún lugar para vadearlo en varias millas arriba o abajo. A la orilla del arroyo se encontraba una anciana de cabello cano y largo. Su mano sarmentosa se aferraba a un largo cayado. Cuando Jasón se le acercó, le preguntó:

— ¿Puedo serviros de ayuda, Madre?

—Sí, —contestó la mujer. —Debo cruzar este arroyo, pero tengo miedo de no tener la fuerza suficiente para hacerlo.

Jasón se ofreció para llevarla a través del río a sus espaldas, y la mujer aceptó de grado. El joven se agachó para que la anciana pudiera colocársele encima y poner sus brazos en torno al cuello de Jasón. Así, de esta guisa, él puso un pie en las rápidas aguas. Tuvo suerte de ser un hombre joven y muy robusto, pues incluso si no hubiera ido cargado, luchar contra la corriente le habría supuesto hacer una fuerza sobrehumana. Al final llegó a la otra orilla sano y salvo con su pasajera, habiendo perdido tan solo una de sus sandalias en el torrente. Jasón ayudó a la mujer a tomar tierra con delicadeza y se giró para despedirse de ella. Pero esta ya no era una anciana avejentada: ante Jasón se hallaba una mujer alta y señorial, coronada de oro y con ropas brillantes. Al instante, Jasón la reconoció como la diosa Juno. Se arrodilló ante ella y esta le dijo:

—La generosidad nunca queda sin recompensa. Continúa hacia tu destino, y sabe que cuentas con mi favor.

Cuando Jasón miró hacia arriba, la diosa había desaparecido.

Acto seguido, Jasón prosiguió su camino a Yolco, donde vio que la gente estaba acudiendo a un festival religioso. Aquel día era costumbre que el rey le sacrificara un toro a los dioses, y cuando

Jasón se enteró de que allí era donde se podía encontrar a Pelias, se dirigió al templo y se colocó delante del gentío. Pelias terminó el sacrificio, y mientras se giraba para irse, reparó en un joven forastero que estaba entre su pueblo, un forastero que solo llevaba una sandalia. Pelias dudó por un momento, aunque dentro de sí, su ánimo flaqueó: con toda seguridad, este era el extranjero con una sandalia sola del que el oráculo le había advertido. Girándose hacia sus guardias, Pelias les mandó que condujeran al joven que llevaba solo una sandalia a palacio, donde se le iba a tratar como un invitado.

Ya que era un día festivo, Pelias celebró un gran banquete al que invitó al joven Jasón. Pelias le dio a su sobrino mucha buena comida y aún más buen vino. Tras ello, dijo:

—Sé por qué has venido, joven hijo de Esón, pero no te pienses que el reino será tuyo simplemente porque lo pidas. Solamente le cederé el trono de grado a quien me traiga el Vellocino de Oro de Cólquida. Piénsatelo bien: ¿te marcharás de aquí y vivirás una vida segura, o aceptarás este reto en el que puedes perder esa vida o ganarte el trono?

Jasón dijo con valentía que aceptaba el reto. Por la mañana, lo primero que hizo fue marchar a Dodona, donde había un viejo roble consagrado a Juno. El árbol era un oráculo y tenía el don de la palabra. Jasón le hizo un sacrificio a Juno en el templo cercano, tras el cual, el árbol le ordenó que serrara una de sus ramas y que tallara un mascarón de ella para su barco, el cual Argo, hijo de Arestor, construyó bajo la dirección de la sabia Minerva. Cuando el barco estuvo listo y el mascarón colocado, Jasón se dio cuenta de que este, al igual que el árbol del que procedía, también tenía el don de la palabra. Jasón llamó al barco *Argo*, como su constructor.

Sin embargo, esta aventura no iba a ser sencilla, pues había múltiples peligros en su viaje a la Cólquida, y muchos más rodeando al propio Vellocino: ningún héroe que había intentado tomarlo había vuelto a ser visto con vida. Jasón, pues, reunió al grupo de héroes más poderosos que jamás habían formado equipo. Hércules llegó con su sobrino Yolao a petición de Jasón, y lo mismo hizo Orfeo con su lira. Laertes, padre de Ulises, estaba también allí, así como Cástor y Pólux. El padre de Aquiles, Peleo, llegó para unirse al poderoso grupo, y así hizo también Teseo, quien mató al Minotauro, y la ágil Atalanta con su arco. Otros muchos se acercaron a Yolco para zarpar con Jasón; unos cincuenta héroes en total.

Sabiendo que su juventud era un inconveniente para él, Jasón le ofreció a su tripulación escoger a su capitán. Los más jóvenes opinaban que era Hércules quien debía ostentar este cargo, pero el gran héroe dijo que no lo haría, ya que quien les había convocado era el legítimo líder. La tripulación estuvo de acuerdo como un solo hombre que era Jasón quien debía guiarlos, y Jasón aceptó con gallardía este puesto. Acto seguido, a la orden de Jasón, se dispusieron a aprovisionar el barco y a escoger grupos para los puestos en las bancas de remo.

Cuando todo estuvo listo, los Argonautas (pues así se llamaba la tripulación del *Argo*) se dirigieron al templo de la ciudad para hacerle los sacrificios debidos a los dioses y así asegurarse una buena travesía. Una vez hubieron hecho esto, Jasón se despidió de sus padres, quienes se habían regocijado con su vuelta, pero no se apenaban de ver a su hijo dejarles tan pronto. Tras tener listo todo lo necesario, los héroes caminaron juntos desde el templo hacia el puerto, con el pueblo de Yolco animándoles durante todo el trayecto.

En la orilla, los héroes le ofrecieron otro sacrificio de bueyes a Apolo, dándole los huesos de los muslos y la rica grasa que se le debía con copiosas libaciones. Acto seguido, asaron la carne de los reses y se dispusieron a dar un banquete y a festejar en la orilla, con hermosa música y canciones a cargo del mismísimo Orfeo. Con la última libación vertida en honor del poderoso Zeus, los Argonautas descansaron, y en la mañana, lanzaron su barco a las olas.

Con un buen viento en las velas, atravesaron el mar. Los remeros empujaban con poderío los remos al ritmo de la canción de Orfeo. Mientras se alejaban de la tierra donde Quirón tenía su morada, el propio centauro se acercó a la costa para gritarle su bendición para el viaje, llevándose al pequeño Aquiles, que era muy querido para su padre, el cual había puesto al niño al cuidado de Quirón.

Así pues, el *Argo* aceleró a través del mar teñido de color vino, con un buen viento en las velas y los remeros más fuertes a cargo, tomando tierra a intervalos para recargar sus suministros de agua y comida y descansar; hasta que, unos días después, arribaron a las tierras de los misios, donde se les dio la bienvenida y les dijeron que se llevaran cualquier cosa que precisaran para el viaje. Hércules había estado remando ese día. El esbelto roble no pudo soportar su fuerza, y la vara del remo se había partido a mitad remada. Por ello, el héroe se adentró en el bosque en busca de un árbol que pudiera emplear para hacer un remo que aguantara su fuerza. Mientras, los demás juntaron maderas para hacer brasas y cocinar en la playa, y un joven llamado Hilas, que había sido adoptado por Hércules desde que era niño, se acercó a un manantial cercano a recoger agua fresca. Cuando Hilas se agachó sobre el agua para llenar su aguamanil, una ninfa miró arriba y lo vio, y se enamoró de él. Agarró a Hilas por el cuello y lo estiró agua adentro para convertirlo en su marido.

Un argonauta llamado Polifemo oyó al muchacho gritar auxilio y se acercó corriendo para ver lo que había pasado. Cuando llegó al arroyo, encontró el aguamanil que Hilas llevaba consigo, pero el chico no estaba. Polifemo llamó a Hilas en vano. Pensando que quizá había sido víctima de unos ladrones, Polifemo empezó a buscarle, y así se encontró con Hércules, que había encontrado un árbol adecuado y lo había arrancado de raíz para llevárselo al campamento y fabricarse un nuevo remo. Cuando Hércules se enteró de lo que había sucedido, enloqueció de rabia y miedo. Dejó caer el árbol y partió junto a Polifemo para ver si podían encontrar al chico.

En el campamento, se estaba alzando un viento favorable. El vigía Tifis llamó a los Argonautas diciéndoles que embarcaran rápido para aprovechar ese viento. Todos los héroes se apresuraron a partir en barco. Empujándolo sobre las olas, se amontonaron a bordo, afanándose para desplegar las velas e inclinarse sobre los remos. En su prisa por aprovechar el viento, no se dieron cuenta de que faltaban tres de los suyos hasta que ya se encontraban bien lejos de la costa. Cuando repararon en que Hércules, Polifemo e Hilas no estaban con ellos, los marineros se enzarzaron en una discusión. Telamón, hermano de Peleo, estaba especialmente enfurecido, y acusaba a Tifis de haber abandonado a Hércules y a los demás adrede. Telamón regresó al puesto de vigía, y podría haber llegado a las manos con Tifis para conseguir quedarse en él si los demás no lo hubieran contenido.

Así pues, la discusión prosiguió hasta que un golpe de agua atravesó el barco. De entre él se alzó Glauco, un dios del mar que había sido un mortal hacía tiempo, pero que había comido una hierba que le había concedido la inmortalidad, con la cola de un pez por piernas y el don de la profecía. Los marineros cesaron de gritar en el momento justo en que Glauco apareció, prestando atención al ser divino que se dignaba a hablar con ellos.

—No temáis por los compañeros que habéis dejado atrás, — dijo el dios del mar —pues estaba decretado por el mismo Zeus desde hace tiempo que no terminarían el viaje a vuestro lado. El joven Hilas ha sido tomado como esposo por una ninfa acuática, con la cual vive ahora en una gran dicha. Fue por buscar a Hilas que Hércules y Polifemo se alejaron de la orilla y no regresaron a tiempo. Pero Hércules debe regresar a Tirnis para completar los trabajos que su primo Euristeo le encomiende, y Polifemo está destinado a fundar una nueva cuidad en la tierra de los misios. Así pues, alegraos y continuad vuestro camino en paz los unos con los otros.

Y diciendo esto, Glauco desapareció bajo las olas.

Cuando el dios del mar se hubo marchado, Telamón hizo las paces con Jasón y con Tifis, admitiendo su culpa y pidiendo perdón, el cual los demás le concedieron de grado. Tras ello, los argonautas ocuparon de nuevo sus bancos y desplegaron las velas, y con Tifis en la cofa, prosiguieron su aventura. Con un viento favorable y fuertes espaldas a los remos, el *Argo* voló sobre el mar de color vino hasta que arribaron a puerto en el reino de Tracia.

En aquel tiempo, el rey de Tracia era un hombre llamado Fineo, el cual sufría por una maldición que le había echado Zeus, ya que Fineo era un profeta y podría predecir el futuro de cualquiera que le preguntara, fuera la voluntad de Zeus que lo supieran o no. Por ello, Zeus maldijo a Fineo, dejándole que envejeciera, pero que jamás muriera, haciendo que la vista se escapara de sus ojos, pero, lo que era peor, dejando que cayera sobre él una bandada de arpías, criaturas con cabeza y pechos de mujer, pero con alas y cuerpos de pájaro que emitían un desagradable hedor, las cuales aparecían a las horas de las comidas y le arrebataban su alimento. A veces se lo llevaban todo, pero otras veces solo tomaban parte de él, de manera que Fineo pudiera seguir vivo, pero nunca quedar saciado. Cuando Fineo oyó que los Argonautas estaban pasando por su palacio, se acercó a las puertas con toda la rapidez que le permitía su frágil cuerpo, donde cayó en tierra ante los poderosos héroes.

Los corazones de los héroes se llenaron de piedad por el anciano. Le ayudaron a levantarse y le preguntaron cuál era la causa de sus tormentos. Fineo les explicó acerca de la maldición de Zeus y les dijo que estaba predicho que los Argonautas serían quienes le liberaran de ella, en especial los hijos de Bóreas, el dios del viento del norte. Jasón y sus compañeros enseguida convinieron en ayudar al anciano rey. Calais y Zetes, hijos de Bóreas, manifestaron que estaban listos para hacer todo aquello que fuera preciso. Así, se preparó un banquete y se dispuso para el rey y sus invitados para atraer a las arpías a palacio. Tan pronto como la mesa estuvo puesta, esos seres horribles aparecieron para arrebatar la comida y salir volando, más raudas que cualquier ave.

Calais y Zetes desenvainaron sus espadas y comenzaron a perseguirlas. Fueron sin descanso tras las arpías, ya que Zeus les había concedido una resistencia y velocidad dignas de inmortales. Estuvieron a punto de alcanzar a las arpías una vez o dos, pero las criaturas siempre conseguían escapar. Al final, los hermanos estuvieron a punto de hacer bajar a las arpías del cielo y de matarlas por muy poco, pero Iris, mensajera de los dioses, se les apareció y les dijo que era voluntad divina que estas criaturas vivieran, pero también que Zeus había levantado la maldición, y que Fineo podría vivir el resto de su vida sin que le perturbaran.

Mientras los hermanos estaban de cacería, los Argonautas les hicieron un sacrificio a los dioses de parte de Fineo. Acto seguido, el rey y sus invitados se sentaron al banquete, el cual por fin pudo Fineo disfrutar en paz. Cuando todos hubieron comido y bebido hasta saciarse, y mientras esperaban el regreso de los hijos de Bóreas, Fineo habló con los Argonautas, diciéndoles que había muchas cosas que debían saber para llegar seguros a la Cólquida, ya que el mar entre Tracia y la Cólquida estaba lleno de peligros de los que ningún barco había logrado escapar. Justo cuando Fineo terminó su relato, Calais y Zetes volvieron, sin aliento por su prolongada persecución y por el camino de regreso a Tracia. Todos se alegraron de oír que habían ahuyentado a las arpías para siempre y que la maldición se había levantado por la gracia de Zeus.

Por la mañana, los Argonautas hicieron un sacrificio a Apolo, y de nuevo, compartieron un banquete con su anfitrión antes de partir. Cuando se hubieron despedido y tanto los invitados como el anfitrión se hubieron dado las gracias, los héroes lanzaron su espléndido barco al mar y doblaron sus espaldas con energía sobre los remos, mientras que un viento favorable henchía sus velas.

Navegaron tranquilos durante parte del día, pero el aire se llenó pronto de un extraño ruido de gritos de pájaros. Mirando al cielo, los Argonautas vieron una bandada de aves de bronce volando hacia ellos. Los pájaros les lanzaban plumas de sus alas y colas a los marineros, quienes recibían heridas del afilado bronce. Las flechas y las espadas no servían de nada, puesto que ningún arma podía atravesar el metal del que las aves estaban hechas. Jasón buscó el consejo del mascarón mágico hecho con la rama del árbol-oráculo. El mascarón les dijo que los pájaros no podían ser matados, pero que los podían espantar si los Argonautas hacían el ruido suficiente. Jasón y algunos de sus compañeros, pues, tomaron sus espadas y escudos y comenzaron a golpear estas armas unas contra otras, creando un estruendo insoportable, mientras que los otros héroes se afanaban a los remos para escapar de los pájaros. Tal y como el mascarón había dicho, las aves se asustaron con el ruido, por lo que el *Argo* pudo por fin escabullirse de ellas.

Tras un rato, los compañeros llegaron a un estrecho angosto del cual Fineo les había avisado. A cada lado del estrecho había dos rocas ocultas que podían levantarse del mar y chocar entre sí cuando un barco pasaba entre ellas. Fineo le había dicho a Jasón que podría descubrir por dónde podían pasar haciendo volar una paloma sobre el estrecho. Si la paloma podía sobrevolar las piedras, quizá a fuerza de remar y navegar podría también pasar el *Argo*. Sin embargo, si la paloma perecía entre las piedras, sería aconsejable para los Argonautas buscar otro paso hacia la Cólquida, pues esto era una señal de que los dioses les denegaban el paso por el estrecho.

Así pues, Jasón tomó una paloma, tal y como Fineo le recomendó, y la echó a volar. A medida que la paloma se acercaba al estrecho, las aguas de ambos lados comenzaron a enturbiarse y a llenarse de espuma. Dos rocas inmensas emergieron y se alzaron sobre el agua, y luego se lanzaron una contra la otra a una velocidad que no se hubiera creído posible para unos objetos tan gigantescos y pesados. Los Argonautas esperaron conteniendo el aliento para ver el destino de la paloma, mientras que las rocas se estrellaban con un estruendo ensordecedor para acto seguido separarse y sumergirse entre las olas. Un grito de alegría surgió de todas las gargantas al ver los héroes que la paloma había sobrevolado las rocas intacta, salvo por un par de plumas de la cola que había perdido.

Los Argonautas se pusieron manos a los remos, con el hábil Tifis preparado en el timón. Remaron hacia el estrecho, y a la orden de Jasón empujaron los remos como nunca antes lo habían hecho.

Nunca había habido barco que se moviera sobre las olas tan rápido como lo hizo el *Argo*, y aun así estuvo a punto de fracasar en su propósito de atravesar el hueco antes de que las rocas se le abalanzaran. Pudo librarse no solamente por la fuerza de los remeros, sino también por las destrezas náuticas de Tifis, quien guió el barco bajo una ola que habían levantado las rocas. Justo en el momento en que chocaban las rocas entre sí, Minerva llegó en auxilio de los compañeros, manteniendo las rocas levemente apartadas mientras el *Argo* atravesaba los últimos metros del estrecho. Cuando la diosa las soltó, las rocas gigantes chocaron entre sí. Aunque el barco aún podía usarse para navegar y ningún marinero había resultado herido ni había desaparecido, el *Argo* no salió intacto de aquella: la furia de la colisión de las rocas atrapó el extremo del timón y lo machacó, tal y como había hecho con las plumas que la paloma había perdido en su vuelo a través del estrecho. Sin embargo, una vez que el *Argo* hubo atravesado el estrecho, la maldición que existía en aquellas aguas se levantó, y nunca más se volvieron a alzar las rocas de su lecho.

Jubilosos por haber sobrevivido a este peligro mortal, pero cansados sin medida por su esfuerzo, los Argonautas navegaron hacia la isla propicia más cercana que pudieron encontrar, y descansaron allí durante tres días antes de reanudar en su viaje. Cuando estuvieron listos, los Argonautas se hicieron de nuevo a la mar, y tras muchas aventuras tanto con aliados como con adversarios, llegaron a la Cólquida, donde en primer lugar tenían que llegar adonde el rey Eetes para ver si podían intentar conseguir el Vellocino de Oro. Sin embargo, la noche ya estaba cayendo cuando arribaron, por lo que Jasón y sus compañeros consideraron que era mejor comer y dormir, y decidir cuál era el mejor curso de acción a la mañana siguiente.

Los Argonautas se despertaron cuando la rosada Aurora pintaba el cielo. Tomaron un rápido refrigerio, y acto seguido, se sentaron en su barco para celebrar un consejo. Jasón dijo:

—Mi misión es ir adonde Eetes y obtener el Vellocino, pero todos somos compañeros en esta aventura, y por ello, cada uno debe decir lo que piensa sobre la empresa en la que me voy a embarcar. Creo que es mejor que vayamos donde está Eetes y le pidamos el Vellocino antes de intentar arrebatárselo por la fuerza, ya que el Vellocino es su posesión y somos invitados en su tierra. Así pues, comportémonos como buenos huéspedes, y ver si nos puede regalar el Vellocino. Solo si rechaza dárnoslo, planearemos qué más podemos hacer para conseguir nuestro objetivo. ¿Estamos todos de acuerdo en esto, o no?

Y cada Argonauta dijo que el consejo de Jasón era bueno y ponderado, y que así debían actuar.

Aunque el Vellocino de Oro estaba en posesión de Eetes y este lo contaba entre sus muchos tesoros, no siempre había estado en la Cólquida. El Vellocino procedía de un carnero dorado que habían rescatado Frixo y Hele, los hijos mellizos del rey Atamante y la ninfa Néfele. Atamante abandonó a Néfele y empezó una nueva vida con una mujer llamada Ino, quien odiaba a Frixo y Hele y conspiraba para matarlos. Los dioses tuvieron piedad de los niños, y enviaron al alado Mercurio para llevarles un carnero de oro que les condujera a un lugar seguro. Los niños se subieron al carnero y volaron por los aires, escapando de su malvada madrastra. Frixo se agarró fuerte, pero a Hele le entró miedo y se soltó, cayendo al estrecho que ahora lleva su nombre, el Helesponto. El carnero transportó a Frixo de forma segura a la Cólquida, donde Frixo sacrificó al animal y colgó su vellocino de un árbol, colocando un terrorífico dragón para custodiarlo. El rey Eetes brindó una gran bienvenida a Frixo, dándole la mano de su hija Calcíope para que se convirtiera en su esposa. Juntos, tuvieron cuatro hijos que, cuando crecieron, se dirigieron al reino de Atamante para reclamar su derecho de nacimiento, que les venía por parte de su padre.

Cuando Frixo murió siendo un anciano, los cuatro jóvenes se embarcaron de vuelta a la Cólquida, pero una gran tormenta hundió su barco, por lo que, agarrados a los maderos quebrados, los jóvenes tomaron tierra en una isla donde los Argonautas habían desembarcado para pasar la noche. Los hijos de Frixo vieron el campamento de los Argonautas, por lo que se acercaron a pedirles ayuda, la cual Jasón y su tripulación les dieron de grado. Así pues, sucedió que cuando Jasón escogió a quienes le acompañarían en su embajada ante Eetes que los hijos de Frixo fueron los elegidos, ya que su madre aún residía en el palacio del rey, su abuelo. También acudieron Telamón y Augias de entre los Argonautas.

Pronto entró la embajada en el patio del palacio, donde Medea, otra de las hijas de Eetes y sacerdotisa de Hécate, les observaba. Dejó escapar un grito de alegría cuando vio a los hijos de Frixo y, al oírlo, Calcíope se acercó corriendo para ver qué estaba pasando. Abrazando a sus hijos llena de dicha, les regañó por haber estado lejos de casa tanto tiempo. Pronto se les unió el propio rey Eetes y otros miembros de la casa real. A medida que tanto anfitriones como invitados acudían al patio, Medea, hija del rey Eetes y sacerdotisa de Hécate, se fijó en el joven héroe de Yolco y, por el poder de la diosa Venus, surgió un amor ardiente por él en su pecho.

El rey Eetes ordenó a sus sirvientes que prepararan una comida para su casa y sus invitados, y cuando el banquete terminó, el rey Eetes le preguntó a Jasón qué le traía a él y a sus amigos por la Cólquida. Jasón le explicó que su misión era llevarle el Vellocino de Oro a Pelias, en Yolco, para poder reclamar su legítima herencia. Eetes escuchó el relato de Jasón, y se encolerizó al ver que un extranjero pretendía intentar despojarle de tal tesoro. Pensando en disuadir al joven héroe de su empresa, o si no, en verle perecer en el intento, el rey dijo:

—Hijo de Esón, el Vellocino será tuyo solo si demuestras ser digno de ello. Para conseguirlo, debes uncir los bueyes que escupen fuego en la Llanura de Marte que se halla junto a mi palacio. Una vez hayas hecho esto, ara ese campo y siembra los surcos con dientes de dragón. De los dientes surgirá un ejército, y deberás derrotar a todos estos guerreros. Cuando lo hayas logrado, debes ir a la Arboleda de Marte donde el Vellocino se encuentra colgado de las ramas de un árbol sagrado. El Vellocino está custodiado por un dragón terriblemente fiero, y debes pasar por su lado antes de que el Vellocino sea tuyo. ¿Aceptas este reto?

Jasón dijo que sí, aunque para sus adentros se desanimó por no creerse capaz de superar ninguno de estos obstáculos. El banquete terminó y Jasón y sus compañeros regresaron al barco, donde el hijo de Esón les comunicó a los Argonautas allí reunidos lo que había acontecido en los salones de Eetes. Acto seguido, les dijo:

—Cuando os reuní, pensé que necesitaría de vuestro valor para conseguir el Vellocino de Oro, pero esta misión debo cumplirla en solitario. Idos, pues, a descansar, pero estad preparados para afrontar cualquier circunstancia que se os presente, tanto si tengo éxito como si fracaso, pues Eetes no es un hombre amigable, y temo que no nos desee ningún bien.

Los amigos de Jasón hicieron como les ordenó, pero el propio Jasón se fue a una pequeña arboleda no muy lejos de donde el *Argo* había atracado, ya que deseaba estar solo para vencer a las bestias temibles a las que se iba a enfrentar al día siguiente. Mientras caminaba por la arboleda, se sobresaltó al ver la figura de una mujer joven que se deslizaba hacia él por entre los árboles.

—No tengas miedo —le dijo la mujer en voz baja. —Soy yo, Medea, hija del rey Eetes. Sé cómo puedes derrotar a esas bestias, y he venido a ofrecerte mi ayuda.

Jasón dijo:

— ¿Por qué te arriesgas de este modo? Seguro que tu padre te castigará con rigor si descubre lo que estás haciendo.

— No me importa —dijo Medea, —pues prefiero darme muerte antes que verte perecer bajo los cuernos de los toros o en las fauces del dragón.

—Dime, pues, qué tengo que hacer —dijo el héroe.

Medea le entregó una botella con aceite y le dijo que se lo debía untar por todo su cuerpo, y que esto calmaría a los toros y les haría aceptar el yugo con paciencia, y otra poción que sumiría al dragón en un profundo sueño. Al mismo tiempo, le entregó un yelmo mágico para que lo empleara cuando se enfrentara al ejército que surgiría de los dientes del dragón; pues Medea era una hechicera que había aprendido el arte de elaborar medicinas y drogas y venenos de la propia diosa Hécate.

Jasón se preguntó por qué la hija de Eetes hacía todas estas cosas por él y corriendo tales riesgos. La miró y vio que era encantadora y elegante, y sintió un profundo miedo de morir en su empresa. Entonces vio que ella lo amaba, y que el amor por ella había nacido también en su pecho.

—Sacerdotisa, —dijo Jasón —no puedo agradecerte lo suficiente por tu ayuda. Sin embargo, te prometo lo siguiente: si mañana resulto vencedor, te protegeré de la cólera de Eetes, pues deseo que vuelvas conmigo a mi hogar para ser mi esposa.

Alegrándose por ello, Medea volvió a palacio sin ser vista, mientras Jasón volvió con sus compañeros para descansar. Por la mañana, Jasón se untó con el aceite que Medea le había dado. Se puso el casco y escondió el vial de somnífero entre sus ropas. Una vez estuvo preparado de este modo, Jasón y los Argonautas se dirigieron a la Llanura de Marte, donde se encontraron con el rey Eetes y su corte, que se había congregado para observar la contienda. Jasón y sus amigos mostraron sus respetos al rey, quien le entregó una bolsa llena de dientes de dragón. Cuando todos hubieron tomado asiento a un lado del campo, Jasón caminó al frente para salir al encuentro de los toros.

Sin embargo, estos no eran toros comunes, sino criaturas forjadas por el mismísimo Vulcano como regalo para Eetes. Sus pezuñas y bocas eran de bronce, y echaban tanto humo como fuego por la boca. El rey Eetes dio la señal, y se soltaron a los toros en la llanura donde Jasón se hallaba solo. Con golpes de pezuña que batían el suelo como martillos de herrero gigantes, y haciendo que el suelo temblara bajo los pies de Jasón, los toros salieron bramando al llano. Miraron a su alrededor y vieron a un hombre solo de pie en medio de sus dominios, y corrieron hacia él. Todos los que observaban contuvieron la respiración cuando las grandes bestias refrenaron su carrera para quedarse tranquilas ante Jasón, quien tomó con suavidad sus cuernos y les acarició el cuello. El ungüento que le había dado Medea tranquilizó a los toros y les puso en disposición de hacer todo lo que Jasón les pidiera. Jasón los condujo adonde se había dispuesto el arado; un arado diseñado también por Vulcano, con una reja hecha de adamanto puro. Los toros se giraron a la orden de Jasón, y se quedaron quietos y mansos mientras este los uncía.

Acto seguido, Jasón comenzó a arar la tierra con surcos finos y rectos, y en estos surcos, Jasón lanzó a su paso un rastro de dientes de dragón. Cuando todos los dientes estuvieron sembrados, Jasón soltó a las bestias del arado dándoles las gracias y las envió de vuelta al pastor que las cuidaba. Los espectadores volvieron a quedarse sin aliento al ver una extraña cosecha surgir de los surcos que Jasón había arado: grandes guerreros, armados hasta los dientes, estaban brotando de la tierra como si fueran cereal.

Cuando todos los guerreros estuvieron completamente formados, se dieron cuenta de que Jasón estaba ante ellos, observándolos. Colocando sus escudos y lanzas en posición de ataque, dieron un grito y comenzaron a marchar hacia donde estaba el extranjero. Jasón se quitó el yelmo de su cabeza y lo arrojó en medio del ejército, golpeando a uno de los guerreros en la cabeza. El guerrero gritó que uno de sus compañeros debía haberle asestado un golpe, y comenzó a atacarle con su lanza. Los demás negaron haber realizado el ataque y también comenzaron a pelear contra sus hermanos. Pronto los integrantes del ejército estaban en guerra unos contra otros, y en muy poco tiempo, casi todos los guerreros habían hallado la muerte. Los guerreros retornaron a la tierra exactamente del mismo modo con el que habían surgido: se hundieron en los surcos levantados, ahora pisoteados por sus pies de paso marcial y empapados de sangre, y nunca se les volvió a ver.

La última tarea que quedaba por hacer era encargarse del dragón que custodiaba el Vellocino. Este dragón era una cosa grande y escamosa que se enroscaba dando vueltas y más vueltas en torno al Árbol de Marte y que mataba a todos aquellos que se acercaban con sus dientes afilados como cuchillas y largos como el brazo de un hombre, y con sus garras como enormes guadañas. El dragón abrió los ojos cuando Jasón se le estaba aproximando. Lo observó con aire cansado mientras él caminaba sereno hacia el árbol. El dragón levantó su cabeza como queriendo empezar a desenroscarse, o para soltarle un eructo del fuego al héroe, pero antes de que pudiera atacarle, Jasón le roció la poción que Medea le había dado. El dragón echó hacia atrás la cabeza y cerró los ojos, y de su garganta surgió un ronquido satisfecho: la poción había sumido a la enorme bestia en un profundo sueño. Caminando con cuidado entre las vueltas del dragón, Jasón llegó y estiró el Vellocino para sacarlo del árbol.

Tomando a Medea de la mano, Jasón regresó al *Argo* con sus compañeros, donde se embarcaron a toda prisa, ya que no confiaban en que Eetes les dejara irse sin más y no querían darle tiempo para reunir un batallón que les detuviera. Aunque el rey había preparado un barco y se lanzó a perseguir al *Argo*, no pudo alcanzarlo, y de este modo, Jasón y sus amigos escaparon sin un rasguño, y pronto regresaron triunfantes a Yolco, tras otras muchas aventuras.

Una de las primeras cosas que hizo Jasón a su regreso fue visitar a su padre. Jasón se entristeció enormemente de ver que el anciano estaba débil y se había consumido en su ausencia, cuando Jasón tenía la esperanza de devolverle el trono que le correspondía por derecho tras presentar el Vellocino ante Pelias. Así pues, Jasón acudió a Medea y le preguntó si sus habilidades mágicas serían suficientes para devolverle la juventud a Esón, y si llevaría a cabo esta tarea por él. Medea aceptó y dijo que lo haría.

En primer lugar, la hechicera hizo muchos sacrificios a Hécate y a otros dioses, y luego preparó una poción con hierbas y polvos mágicos. Acto seguido, hizo un corte en la garganta del anciano y dejó que la sangre cayera en el cuenco para mezclarla con la poción, la cual untó en la herida y le dio de beber. La herida del cuello de Esón se cerró por sí sola, y este pronto recuperó el cuerpo y el vigor de un hombre en la flor de su vida.

La historia de la regeneración de Esón se extendió por la región, y las hijas de Pelias se dirigieron a Medea, suplicándole que hiciera lo mismo con su anciano padre. Medea aceptó, pero con una mala idea en la mente, pues tenía planeado vengarse del vetusto rey por sus felonías contra el padre de Jasón. Medea fingió preparar la poción, pero usó hierbas y polvos que no tenían ningún efecto. Luego, les pidió a las hijas que cortaran a su padre a trozos y lo hirvieran en una olla, dentro de la cual vertería la poción falsa. Las hijas lo hicieron así, y cuando el padre no se alzó de la olla convertido en un hombre joven, su hermano Acasto expulsó a Jasón y a Medea de Yolco.

Jasón y Medea se exiliaron en Corinto, donde vivieron durante muchos años juntos y felices y tuvieron dos hijos. Sin embargo, tras un tiempo, el rey de Corinto deseó establecer una alianza con Jasón, por lo que le ofreció la mano de su hija Glauca al héroe para que fuera su esposa si se divorciaba de Medea. Estando de acuerdo en que la alianza era deseable, Jasón se divorció de Medea y se casó con Glauca.

Medea estaba consumida por el dolor y los celos por culpa de la traición de Jasón. En primer lugar, bañó una túnica en veneno y se la entregó a Glauca como si se tratara de un regalo de bodas. Cuando Glauca se la puso, su cuerpo absorbió el veneno y empezó a agitarse en agonía. El padre de Glauca se le acercó para ayudarla, pero en cuanto tocó la túnica se envenenó él también, y así perecieron los dos. Habiendo llevado a término su venganza, Medea asesinó a sus dos hijos, se montó en su carro tirado por dragones, que había sido un regalo de su abuelo Helios, el dios del sol. Montada en él se fue a Atenas, donde se casó de nuevo y empezó una nueva vida.

Antes de partir, Medea dejó un mensaje en el que decía que, del mismo modo que el *Argo* había sido el medio para el éxito de Jasón, también sería el medio de su muerte. Jasón, despojado no de una sino de dos esposas y de sus dos hijos, vivió en Corinto, sumido en la tristeza. Un día pensó en recordar los tiempos felices de su juventud, por lo que se acercó al puerto donde el casco del *Argo*, ahora deteriorado por los años y por falta de uso, se había quedado en la arena. Jasón se envolvió en su capa y se subió al barco podrido. Se puso a dormir bajo el mástil, pero mientras dormía, un trozo del palo se rompió y cayó sobre la cabeza del héroe, matándolo. Ese fue el fin de Jasón el Esónida, héroe del *Argo* y captor del Vellocino de Oro.

TERCERA PARTE: HISTORIAS DE LAS METAMORFOSIS DE OVIDIO

La Creación del Mundo

Las Metamorfosis *de Ovidio constituyen una de las más grandes colecciones de mitos romanos, la cual comienza con la historia de la creación del mundo. Aunque los mitos romanos se corresponden en gran medida con los griegos, la historia de la creación que narra Ovidio es un tanto diferente de la presentada por escritores griegos antiguos como Hesíodo. Mientras que los griegos veían la Tierra, los cielos y otros aspectos de la creación como dioses en sí mismos, este tipo de antropomorfismo no se encuentra en el mito de Ovidio. Desde su punto de vista, un solo dios creador anónimo creó el cielo y la tierra, y la pobló con humanos, animales y el resto de seres que viven en el mundo. Ovidio tampoco explica los orígenes del panteón romano: Júpiter, Saturno y el resto de dioses simplemente aparecen en escena y comienzan a actuar y a gobernar dependiendo de sus diversos roles y atributos.*

Aquí vemos también una importante diferencia entre la religión griega y su contraparte romana. En la mitología griega, Zeus derroca de forma violenta a su predecesor, Cronos, el cual desaparece del panteón en ese momento. Sin embargo, la suplantación de Saturno por parte de Júpiter no parece haber sido violenta en absoluto, ya que Saturno continuó siendo un dios importante y digno de pleitesía durante todo el período romano.

En un principio, no existía nada salvo el Caos. El sol no brillaba, ni la luna crecía ni menguaba. La tierra, el mar y el aire existía, pero estaban oscuros y en constante movimiento. La creación aún no era un lugar donde los seres vivos se movían, y hacían cosas, y existían.

Así fue hasta que llegó dios y puso orden en el universo. Dios separó el mar de la tierra, y el aire de estos dos, y puso los cielos en su lugar y les dio forma por encima de todas las demás cosas. Acto seguido, dios le dio al mundo la forma de un gran orbe y extendió las aguas sobre él. En algunos lugares, estaba el océano, en otros, ríos y arroyos. De entre las aguas, surgió la tierra. Dios creó las llanuras y las colinas, las montañas y los valles, y puso sobre ellas todo tipo de árboles y cosas que crecen. En el aire, dios puso la niebla y la neblina y las nubes; creó el rayo y el trueno, el viento y la lluvia, y cada uno de los vientos se desplazaron al rincón del mundo que más les gustaba. El Euro se fue al este, el Céfiro al oeste, mientras que el frío Bóreas se fue al norte y el cálido Austros, a las tierras del sur.

Una vez que todas las cosas se hubieron separado y colocado en sus lugares, las estrellas comenzaron a brillar en el cielo, y los peces, a nadar en las aguas. Las aves surcaban el cielo, y los animales caminaban por la tierra. Los humanos fueron creados en último lugar y se les dio el dominio sobre la tierra. Fue Prometeo, hijo del titán Japeto, el que creó estos seres por primera vez, moldeándolos con forma de dioses y haciéndoles caminar erguidos.

La primera era de la creación se conoce como la Edad de Oro, pues todos los seres hacían lo que era correcto sin necesidad de leyes ni de castigos. No había armas ni conflictos, y la tierra producía comida para todos sin necesidad de bueyes ni de arados, y sin la labor de los agricultores y granjeros. La leche brotaba de los arroyos, y la miel goteaba de los panales. En esta época, la primavera era eterna en la tierra; nunca hacía un frío o calor excesivos, pero siempre hacía un tiempo cálido y una suave brisa, y el dios Saturno gobernaba supremo sobre toda la creación.

Pero esta edad iba a durar poco. Júpiter expulsó a Saturno del mundo y tomó el mando en su lugar, y este fue el comienzo de la Edad de Plata. En esta edad llegaron las estaciones, con el frío del invierno y el calor del verano. La tierra no producía alimento sin trabajo: la gente estaba ahora obligada a labrar la tierra y a sembrar el grano, y los bueyes se esforzaban ante el arado. Después de ella, llegó la Edad de Bronce, más dura y de peor condición que la de Plata, y al final llegó la Edad del Hierro, donde todo tipo de males sobrevinieron. La gente se olvidó de cómo vivir en paz con sus semejantes. El robo y las mentiras, el odio y la guerra se extendieron por todo el mundo. La tierra ya no era libre para todo aquel que desease cultivarla, sino que estaba marcada por límites. Los mineros horadaron la tierra buscando las riquezas que se hallaban en su interior, hierro y gemas, y brillante oro para codiciar y acumular. Y en todas sus labores y su avaricia, la gente se olvidó de cómo adorar a los dioses.

Júpiter miraba todo este desde su palacio en las alturas, y estaba molesto por ello. Convocó ante él un consejo de dioses, y estos se acercaron a su morada caminando por la Vía Láctea, el camino divino en el cielo que conduce al hogar del mismo Júpiter.

Júpiter dijo a los dioses allí reunidos:

—He mirado abajo, a la tierra, y no veo nada salvo odio y crímenes. La raza humana se ha olvidado de todo decoro. Acumulan riquezas, matan, mienten y roban; descuidan los sacrificios y adoración debida a nosotros los dioses y que es su justa obligación. Me propongo a destruir a la humanidad, a borrarlos de la faz de la tierra y comenzar de nuevo con una nueva raza de gente, una que actuará correctamente y nos dará el honor que merecemos.

Así, Júpiter convocó a los vientos y las olas, y les ordenó que se alzaran y soplaran. Llamó a Neptuno, el dios de los mares, y le pidió que liberara las aguas de sus cursos y las mandara chocar contra la tierra. Llamó a los ríos y arroyos y les pidió que rebosaran de sus lechos. Las aguas se alzaron, arremolinándose por entre las casas y los templos. Inundaron los campos y llegaron a las ramas de los huertos de frutales. Se deslizaron por las laderas de las colinas y llenaron los valles.

La gente se asustó y trató de huir, pero las aguas eran demasiado veloces y fuertes. Tanto los animales como las aves sucumbieron. Solo dos personas sobrevivieron: Deucalión, un hombre justo que no descuidaba el honor debido a los dioses, el cual se aferró a su barquita con su amada esposa, Pirra, una mujer tan honorable como virtuoso era su marido. Durante un tiempo, navegaron sobre las aguas, lamentando que pronto también ellos fueran a morir, pero su barco quedó varado en la cima del monte Parnaso, el cual era demasiado alto para que las olas lo cubrieran.

Júpiter oyó los gritos de Deucalión y Pirra, y los miró con piedad. Calmó la tormenta, y con su poder, hizo que las aguas se retiraran. Muy pronto, todo el mundo se recuperó, pero ahora estaba desprovisto de vida.

— ¿Qué debemos hacer? —dijo Deucalión. —De momento hemos salvado la vida, pero la raza humana perecerá cuando lo hagamos nosotros.

Así pues, Deucalión lloró por su soledad, y Pirra lloró con él. Cuando cesaron sus lágrimas, regresaron a su ciudad y fueron antes que nada al templo de Temis, la diosa de la justicia. Las paredes del templo estaban sucias por el paso de la inundación, y las hogueras del templo estaban apagadas, pero Deucalión y Pirra entraron y se postraron ante la diosa. Rezaron con gran piedad para pedirle ayuda y para reinstaurar la humanidad perdida.

La diosa escuchó su oración y les habló, diciendo:

—Cubrid vuestras cabezas y soltad vuestras vestiduras, y lanzad los huesos de vuestra madre detrás de vosotros.

En un primer momento, Pirra se negó, diciendo que jamás cometería tal acto impío contra la que la trajo al mundo, incluso si era posible encontrar su tumba entre los restos de la inundación. Pero entonces, Deucalión dijo:

—Los oráculos rara vez hablan con tanta claridad, esposa mía. Con toda seguridad, la diosa se está refiriendo a algo completamente diferente.

Cambiando de opinión sobre ello y en vista de los destrozos que la inundación había causado a su ciudad, Deucalión encontró la respuesta:

—Los huesos que la diosa nos pide lanzar no son humanos, sino los huesos de la tierra, la cual también es nuestra madre. Rápido, esposa, cubramos nuestras cabezas y soltemos nuestras vestiduras, y entonces lanzaremos las piedras que encontremos en nuestro camino a nuestras espaldas, tal y como la diosa ordena.

Así pues, Pirra y Deucalión comenzaron a caminar por las calles de su ciudad, tomando piedras y lanzándolas por encima de sus hombros. Cuando las piedras impactaban contra el suelo, se ablandaban y comenzaban a crecer y cambiar. Pronto cada roca que Deucalión tomaba la semejanza de un hombre, mientras que las que lanzaba Pirra se transformaban a imagen de una mujer. Cuando estas terminaron de tomar forma, los dioses dieron aliento y vida a los nuevos seres.

Mientras que Deucalión y Pirra trabajaban para devolver a la humanidad a la vida, la tierra recuperó los animales y las aves. Al calor del sol, del barro y el lodo que habían traído las aguas surgieron todas las criaturas que habían caminado, reptado o volado antes de la inundación, y muchas nuevas bestias y pájaros con ellos. Y de este modo, el mundo se renovó, y la raza humana tuvo un nuevo comienzo.

El Castigo de los Dioses

El concepto de hubris, *o de orgullo excesivo, es importante para la mitología griega y romana. En muchos mitos grecorromanos, el orgullo que sobrepasa ciertos límites siempre recibe castigo de maneras creativas, y a menudo inquietantemente violentas, por parte de los dioses. Algunas de estas historias funcionan principalmente como relatos de advertencia, pues avisan a los humanos que no se crean iguales a los dioses, mientras que otros sirven como historias sobre el origen de las cosas, como por ejemplo, de las arañas.*

Cada una de las historias que se presentan aquí sigue formando parte de nuestra consciencia moderna de una manera u otra. Aracne presta su nombre, el cual quiere decir "araña" en griego, a nuestro vocabulario en la forma de la palabra "arácnido", que significa "parecido a una araña". La historia de Ícaro todavía se emplea para advertir del peligro de tentar al destino; mientras que todavía hoy en día nos referimos a alguien avaricioso o, simplemente, excesivamente rico, como un "Midas". Por último, el hermoso Narciso presta su nombre tanto a una flor de aroma dulce de la familia de las bulbosas y al trastorno mental del "narcisismo", una preocupación excesiva por uno mismo a expensas de otros. En esta historia, también nos enteramos de cómo surgió el eco, el cual en un primer momento existió en la forma de una ninfa maldecida por Juno que se consumió y se transformó en una simple voz a causa de un amor no correspondido.

La Historia de Aracne

En Colofón vivía una mujer llamada Aracne, la cual tenía las mejores habilidades al telar que cualquier otra mujer en el mundo entero. Su padre, Idmón, era un maestro tintorero, y teñía la lana con todo tipo de colores vivos para que ella la tejiera. La gente acudía desde millas de distancia para ver a Aracne hilar la lana y bordarla en la tela, o trabajando en su telar. Incluso las ninfas bajaban de sus arboledas y se pasaban horas y horas observando a Aracne trabajar mientras la tela crecía y brillaba con su danza de trama e hilos entrelazados.

—Seguro que Minerva le ha enseñado todo lo que sabe —decían todos aquellos que veían el trabajo de Aracne, puesto que, de todos los dioses, Minerva era la que tenía una mayor destreza en el hilado y el tejido, y nadie podía rivalizar con ella ni en el cielo ni en la tierra.

Sin embargo, Aracne se mofaba de esto, diciendo que ni siquiera la propia Minerva le podría haber enseñado tal destreza.

—Si Minerva piensa en retarme, —dijo Aracne —que venga aquí y demuestre lo que vale. Pagaría lo que fuera para medirme con ella, incluso si al final ella me superara.

Al oír esto, Minerva, la de los ojos grises, tomó la forma de una anciana de cabello cano, doblada tras años de trabajo. Se acercó donde Aracne estaba sentada ante su telar y dijo:

—Tejes bien, y haces bien queriendo buscar fama entre los mortales por tu destreza. Pero escucha ahora los consejos de la vejez: no te creas igual que una diosa, puesto que esto solo te traerá la ruina. Pídele perdón a Minerva por tu atrevimiento ahora mismo, abandona tu orgullosa presunción, y con toda seguridad, la diosa tendrá misericordia de ti.

Pero Aracne despreció las palabras de la anciana.

—La edad no es garantía de sabiduría. Ve y encuentra a otra a la que sermonearle. ¿No tienes una hija o una nuera que haga caso a tus consejos? Si Minerva dice que es la mejor tejedora, entonces, que lo demuestre. La espero cuando a ella le venga mejor.

De pronto, la diosa se deshizo de su disfraz. La espalda encorvada y las manos ajadas habían desaparecido. El pelo cano se había desvanecido.

— ¡Mírame! —dijo Minerva. —Me has llamado, y he venido.

Las ninfas y mujeres reunidas allí se inclinaron ante Minerva y la adoraron. Aracne fue la única que no dobló la rodilla, sino que permaneció de pie ante la diosa como señal de desafío. No hubo más palabras entre ellas: ambas se pusieron ante sus telares y comenzaron a tejer. La competición había empezado.

Con cuidado y habilidad, colocaron la urdimbre. Con pericia pusieron hilos en la trama. Los ágiles dedos volaban, trabajando con la brillante lana teñida de colores vivos: morado, azul cielo, rojo sangre y blanco puro, e incluso hilos metalizados que refulgían al sol. La tela iba creciendo lentamente en los telares; poco a poco, el diseño de las tejedoras iba tomando forma. Tanto la mujer mortal como Minerva tejieron una tela historiada digna de la túnica de una diosa.

En el telar de Minerva iba apareciendo la historia de la ciudad de Atenas, de cómo Neptuno y Minerva lucharon para tener el honor de ser el dios protector de la ciudad, y de cómo Minerva hizo crecer el olivo que le supuso su victoria sobre el dios del mar y le dio a la ciudad su nombre. En cada rincón, la diosa tejió la historia de los humanos destruidos por el pecado de la *hubris*, y remató toda la tela con ramas de olivo.

Aracne tejió muchas historias en su tela: historias de mujeres tomadas como amantes por los dioses, las cuales daban a luz niños divinos. Allí estaban Europa y el toro, y Leda y el cisne, Dánae con su lluvia de oro, y otras muchas, todas rodeadas de múltiples flores y hiedra trenzada. Nadie que vio aquella tela historiada pudo ver ni un solo defecto en ella, ni siquiera la propia Minerva.

La diosa de ojos grises no pudo contener su envidia. Partió la tela de Aracne en dos y, tomando la lanzadera de madera que la mujer mortal había usado para derrotarla, le golpeó a Aracne con ella en la cabeza. Aracne no pudo soportar la afrenta de la diosa, así que se fue a un árbol cercano y se colgó de él. Viendo esto, Minerva se llenó de piedad, y por ello, en vez de dejar que Aracne pereciera, la transformó en una araña. Y así, hoy en día las arañas siguen siendo tejedoras, e incluso cuelgan de los árboles.

Nota sobre las telas historiadas: *En el relato anterior, Aracne y Palas compiten para ver quién podía tejer la mejor tela historiada. Una tela historiada era un hermoso y complejo tejido que era una parte importante de la cultura griega antigua, y que estaba particularmente asociado con la propia Palas Atenea. Tal y como Elizabeth Barber explica en su libro sobre la historia del tejido, en la antigua Grecia, un grupo de mujeres vírgenes se dedicaban todos los años a tejer una tela historiada para una estatua de Atenea de la Acrópolis. Aunque como podemos ver en la historia de Aracne y en las tradiciones del templo de Atenea, las telas historiadas estaban principalmente asociadas a las mujeres, también se les aplicaba a los hombres en ocasiones. En un capítulo de la* Argonáutica *de Apolonio Rodio, se cuenta que Jasón llevaba puesto uno de estos paños, lo que sugería su alto estatus, quizá casi rozando la divinidad.*

El Vuelo de Ícaro

Dédalo era un inteligente arquitecto y constructor. Hacía cualquier objeto que pudiera fabricarse a mano, y cuanto mayor era el reto, mayor era su deseo de crear lo que se le había pedido. Sin embargo, su destreza pronto iba a ser su ruina y la de su único hijo, Ícaro, y así es como sucedió.

Muchos años antes de esta historia, Dédalo había llegado a Creta tras haber sido acusado de matar a un hombre en su ciudad natal, Atenas. En aquel tiempo, Minos era el rey de Creta, el cual había logrado reinar tras pedirle a Neptuno que le enviara un toro divino desde el mar para probar que tenía derecho al trono. Minos prometió que, si Neptuno lo hacía, sacrificaría inmediatamente al animal al gran dios del mar. Neptuno le envió el toro, y Minos recibió el trono, pero en vez de mantener su promesa, envió al toro a sus propios rebaños y escogió otro para el sacrificio.

Como venganza, Neptuno hizo que Pásifae, la esposa de Minos, sintiera un deseo lujurioso irrefrenable por el toro divino. Pásifae fue adonde Dédalo y le pidió que le construyera un disfraz tan completo que el toro creyera que ella era una vaca, y así, accediera de grado a yacer con ella. Dédalo estuvo de acuerdo y le hizo una vaca de madera, vacía por dentro y cubierta con la piel de una vaca de verdad. Pásifae se metió dentro, y cuando la vaca de madera se colocó en el prado donde se hallaba el toro, el toro se acercó y se apareó con ella. Como parte de la maldición de Neptuno, Pásifae pronto se dio cuenta de que estaba embarazada, y dio a luz a su debido tiempo. Sin embargo, este no era un niño normal: había dado a luz un monstruo, un Minotauro, con cabeza de toro y cuerpo humano, que resultó tener un terrorífico gusto por la carne humana. Cuando el Minotauro se hizo demasiado grande y fuerte para ser controlado, Minos mandó llamar a Dédalo.

—Fue por tu mano que fue posible concebir este monstruo, y tú serás quien lo encierres —dijo el rey. —Constrúyeme un lugar para mantenerlo dentro; uno que sea seguro, uno tal que nadie que entre pueda nunca salir de él; pues aún tendrá que ser alimentado, y sus víctimas no deben poderse escapar.

Dédalo, pues, construyó el laberinto, una estructura de pasillos que se doblaban y retorcían que hacían perder el sentido de la orientación a cualquiera. Sabía que el Minotauro se lo aprendería con el tiempo, ya que la bestia viviría en él, pero colocó las puertas más seguras que pudo diseñar. Tales eran los recovecos del laberinto que cualquier víctima que atravesara aquellas puertas tenía la certeza de que al final se convertiría en la comida del Minotauro; e incluso si no lo hacía, de que nunca sería capaz de encontrar la salida de nuevo.

Cuando el laberinto se construyó y se colocó al Minotauro dentro, Minos proclamó que estaba bien satisfecho. Sin embargo, cuando el héroe Teseo llegó de Atenas como parte de un tributo de jóvenes para alimentar al monstruo, Ariadna, la hija de Minos, le preguntó a Dédalo cómo podría el joven héroe escapar con vida del laberinto. El arquitecto le dijo que le diera a Teseo un ovillo de cordel para que lo pudiera dejar tras de sí y luego seguirlo de vuelta a la entrada. Ariadna tomó su consejo, y así fue que Teseo pudo matar al Minotauro y escaparse de Creta, llevándose consigo a Ariadna.

Minos pronto descubrió cómo Teseo fue capaz de escapar, y así, condenó a Dédalo y a su joven hijo, Ícaro, a ser encerrados ellos mismos en el laberinto. Pero la crueldad de Minos no era rival para el ingenio de Dédalo. Dédalo tomó las plumas de unos pájaros y las sujetó con cera y cordel hasta fabricar dos pares de alas. Atándoselas a sus brazos, le enseñó al joven Ícaro como podía volar como las aves, pues aunque Minos había atrancado las puertas del laberinto por fuera, y aunque el rey controlaba los puertos y radas de Creta, el cielo no se encontraba bajo su jurisdicción, y fue por el aire que Dédalo se propuso recuperar su libertad y la de Ícaro.

—Vuela con cuidado —dijo Dédalo, —y siempre toma el camino del medio; pues si vuelas demasiado bajo sobre el mar, tus alas se pueden mojar demasiado, y si vuelas demasiado alto, el calor del sol derretirá la cera y las alas se te romperán.

Y de este modo, padre e hijo se alzaron en el aire y sobrevolaron mar abierto. Ícaro se quedó al lado de su padre durante un tiempo, sin volar ni muy bajo ni muy alto. Sin embargo, su espíritu pronto se alegró demasiado con el vuelo, y trató de descubrir cómo de alto podía volar. Antes de que su padre le pudiera llamar, Ícaro voló demasiado alto, y el calor del sol derritió la cera de las alas del chico, justo como su padre le dijo que sucedería. Ícaro cayó en picado en el mar, con las ahora inútiles plumas de sus alas agitándose en el aire que lo rodeaba, e Ícaro se ahogó en las profundas aguas. Dédalo vio las plumas desprendidas de las alas de Ícaro flotando sobre las olas, y el cuerpo quebrado de su hijo hundiéndose suavemente. Dédalo lloró a su hijo muerto, pero nada podía ya hacerse por él, por lo que voló solo de vuelta a Grecia siguiendo el camino del medio, con alas que él había fabricado tan solo con plumas y cordel y cera.

La Historia del Rey Midas

El dios Baco estaba acostumbrado a deambular por el campo en compañía de sus doncellas salvajes y sus sátiros, pero en especial, de su padre adoptivo, el anciano Sileno, dios del vino. Un día, Baco se fue al monte Tmolo para cuidar los huertos de frutales que tenía allí, y cuando llegó, se dio cuenta de que Sileno no estaba con él. Tal y como era habitual en él, Sileno se había emborrachado con vino mientras atravesaban Frigia, y en este estado de embriaguez, lo habían capturado unos labradores frigios, quienes llevaron al dios ante su rey, un hombre llamado Midas. Al reconocer quién era Sileno, Midas proclamó la celebración de un gran festival en su honor, y su reino estuvo festejando con el dios durante los siguientes diez días.

Al undécimo día, Midas llevó a Sileno de vuelta a Lidia, donde le ayudó a volverse a encontrar con su hijo adoptivo. Baco estaba tan lleno de dicha por el retorno de su padre adoptivo que le dijo a Midas que le daría al rey cualquier cosa que pidiera, sin importar lo grande o lo pequeña que fuera. Midas era un hombre avaricioso, y amaba el oro por encima de todo. Así pues, le dijo a Baco:

– ¡Haz que todo lo que toque se vuelva de oro!

Baco le concedió este don, pues era lo que le había prometido, pero en su fuero interno pensó que Midas había hecho una mala elección. Midas, por su parte, volvió a su país natal, probando su nuevo don a medida que avanzaba. Tocó un ramillete de hojas y ¡oh maravilla! Al instante se hicieron de oro, suaves y amarillas. Las piedras y el suelo, las espigas de trigo y las manzanas: todo se volvía de oro. Llegó a palacio y tocó las columnas que adornaban su fachada. Encantado, Midas vio que chispeaban con un brillo amarillo al roce del sol. Sin embargo, el inconveniente de su deseo pronto se mostró ante él: los siervos del rey dispusieron ante él una buena comida para darle la bienvenida a casa, pero cualquier cosa que el rey tocaba con sus labios se volvía de oro. La carne y el pan, el vino y el agua: todo por igual se tornaba del precioso metal. No importaba el cuidado con el que lo intentara; Midas no podía consumir nada de lo que se echaba a la boca, pues todo se volvía de oro en el instante en que lo tocaba con la más mínima parte de su cuerpo. Desesperado de hambre y sed, Midas rogó a los dioses:

— ¡Oh, tened piedad de mí! —gritó. —He llegado a este punto por mi culpa, y por mi propia avaricia. ¡Liberadme de esta maldición, y nunca más anhelaré riquezas!

Baco oyó la oración de Midas. El dios acudió ante el pesaroso rey y le dijo:

—Si quieres librarte de tu maldición, vete al arroyo que fluye por Sardes. Sigue su curso hasta que llegues al nacimiento del río. Una vez allí, báñate en sus aguas y volverás a tu ser.

Midas hizo lo que Baco le dijo. Se bañó en el arroyo y dejó de tener el toque de oro, pero este pasó al río, el cual incluso hoy en día cuenta con oro en su lecho. Desde ese día en adelante, Midas se negó a volver a su ciudad y a vivir como un hombre rico. En vez de ello, deambulaba por los bosques y los valles, adorando al dios Pan.

A Pan le gustaba tocar una pequeña flauta de caña que había fabricado, y con su música, deleitaba a las ninfas y las dríadas y otras criaturas que vivían en los bosques con él. Tenía su manera de tocar en muy alta estima, y un día, dijo:

—Creo que mi música es incluso mejor que la de Apolo.

Al oír esto, el veloz Apolo bajó a la tierra y retó a Pan a un concurso con Tmolo, el dios de la montaña, como juez. Pan fue el primero en tocar, creando muchas melodías con su flauta de caña. Después, Apolo tocó su lira, un objeto muy bien construido y engastado de marfil y gemas. Tmolo escuchó con atención a cada uno, pero al final tuvo que declarar que la música de Apolo era de lejos la mejor. Todos los que escucharon la competición estuvieron de acuerdo en que Tmolo había emitido un juicio correcto; todos, claro está, excepto Midas, quien pensaba que la música de flauta de Pan había sido la mejor. Apolo no podía dejar pasar esto sin castigo, por lo que transformó las orejas de Midas en un par de orejas de burro, largas y suaves y grises, por lo que Midas escondió sus vergonzosas orejas bajo un turbante morado por el resto de sus días.

Eco y Narciso

Había una vez una ninfa llamada Liríope a la que raptó el dios del río Cefiso. La arrastró a su morada e hizo con ella lo que quiso, y pronto ella se dio cuenta de que estaba encinta. Deseando saber la naturaleza del bebé que llevaba dentro, Liríope fue adonde el vidente ciego, Tiresias, el cual era conocido por todas partes por su sabiduría y su habilidad para saber sobre las cosas que estaban por llegar.

—Háblame de mi hijo —dijo la ninfa. — ¿Vivirá muchos años?

—Lo hará, no cabe duda —contestó Tiresias, —pero solo si él nunca logra conocerse a sí mismo.

Ni Liríope ni ninguno de sus amigos o consejeros pudieron entender lo que Tiresias quería decir, pero en cuanto el chico creció, las palabras del vidente cayeron en el olvido. Narciso llegó a los dieciséis años, y en verdad, no había otro joven en el mundo entero que se le comparara en belleza, ni de cara ni de forma. Todos los que le veían se enamoraban de él, tanto hombres como mujeres, tanto mortales como ninfas. Pero el orgullo de Narciso era mayor que toda su belleza junta, y despreciaba a todos aquellos que buscaban sus favores.

Un día, sucedió que Narciso estaba cazando ciervos en el bosque con algunos de sus compañeros, y fue vislumbrado por una ninfa llamada Eco. Esto pasó en un tiempo en el que Eco tenía una forma visible, aunque, al igual que hoy en día, ella solo podía repetir lo que se le decía y no podía hablar a no ser que se le dirigiera la palabra. Esta era una maldición que le había echado la diosa Juno, pues a Eco se le encomendó la tarea de distraer a Juno mientras Júpiter estaba en tratos amorosos con otra mujer, y Eco lo hizo dándole conversación, pues estaba tenía el don de las buenas palabras. Cuando Juno descubrió por qué Eco la había buscado para conversar, Juno ordenó que la ninfa solo pudiera repetir las palabras que otros le decían, y muchas veces, de manera incompleta.

Cuando Eco vio a Narciso, quedó presa de una ardiente pasión por él. Ella le siguió mientras él perseguía ciervos por el bosque, anhelando hablar con él, pero sin poder siquiera pronunciar su nombre debido a la maldición de Juno. A medida que la partida de caza se adentraba en el bosque, Narciso quedó separado de sus amigos. Miró a su alrededor para intentar ver adónde se habían ido, y gritó:

— ¿Hay alguien por aquí?

Eco le contestó:

— ¡Por aquí!

Sin reconocer la voz, y preguntándose de dónde provenía, Narciso volvió a gritar:

— ¡Ven a mí!

Eco respondió:

— ¡Ven a mí!

Narciso miró a su alrededor confundido, pues la voz no era la de ninguno de sus compañeros. Gritó:

— ¡Voy a esperarte; encontrémonos aquí!

La voz extraña repitió:

— ¡Encontrémonos aquí!

Y mientras Narciso observaba, una hermosa ninfa llegó corriendo por el bosque y lanzó sus brazos al cuello de él.

Sin embargo, Narciso la apartó, diciendo:

— ¡No me toques! No busco los abrazos de nadie. ¡Prefiero morirme antes; no te doy poder sobre mí!

Al tiempo que Narciso se alejaba por entre los árboles, Eco repetía tristemente:

— ¡Te doy poder sobre mí!

Y luego, se quedó en silencio.

Con el corazón roto, Eco vagabundeó por el bosque y siguiendo los arroyos, no pensando en nada salvo en Narciso. Subió a las montañas, donde vivió en cuevas y entre rocas y bloques de piedra. Entonces, se deshizo de su cuerpo, y pronto se debilitó hasta que no fue nada más que huesos y una voz, y muy pronto solo quedó de ella la voz, esperando entre las piedras y los taludes a que las palabras de los demás la hicieran hablar de nuevo.

Mientras tanto, Narciso volvió a casa, donde atrajo a todavía más admiradores. No obstante, seguía despreciándolos. Al final, una joven que Narciso había rechazado con especial inquina rezó esta oración:

— ¡Que encuentre a alguien a quien ame, pero que nunca pueda tenerle!

La diosa Némesis oyó esta oración y juró satisfacer su petición. La siguiente ocasión en la que Narciso salió a cazar, Némesis puso en su mente la idea de buscar un estanque donde pudiera beber, ya que cerca de allí había una poza clara con aguas que reposaban sin una sola onda, y en un rincón de la poza crecía una pequeña arboleda cuyas ramas colgaban sobre el agua. Cansado y sediento por la caza, Narciso se acercó a la poza y se tumbó a la sombra de los árboles con la idea de refrescarse y saciar su sed. Sin embargo, cuando se inclinó sobre las aguas tranquilas, el reflejo de su cara se quedó observándole, y Narciso lo observó de vuelta, en estado de trance; pues nunca había visto un rostro tan hermoso, una forma tan bella, tan elegante en su virilidad. Ciertamente, este debía ser el amado que tanto había estado esperando mientras despreciaba los deseos de todos aquellos que se le habían acercado.

Narciso se encaramó sobre las aguas para besar aquellos labios encantadores, solo para ver cómo se desvanecían en una maraña de ondas. Sumergió sus brazos en la poza con la intención de abrazar y acariciar esas formas tan bellas, y sacarlas del agua a la luz del sol para que fueran suyas, pero sus manos no tocaron otra cosa que las piedras del fondo de la poza. Narciso lloró la desaparición de su amado, y mientras se quedaba sentado lamentándose, las aguas de la poza se serenaron, y el hermoso rostro apareció de nuevo sobre la superficie.

Una y otra vez, Narciso trató de atrapar al joven que le observaba de vuelta, y cada vez, el joven desaparecía, solo para volver una vez que las aguas se calmaban. Con el tiempo, Narciso se dio cuenta de que estaba contemplando su propio reflejo, pues cuando se inclinaba para darle un beso a la imagen, esta se echaba hacia delante de la misma forma. Cuando estiraba sus brazos para abrazarlo, la imagen hacía lo mismo. Cuando Narciso le hablaba al reflejo, el joven del agua vocalizaba las mismas palabras.

— ¡Ay de mí! —gritó Narciso. —Pues ahora que sé que me amo a mí mismo, y lo infeliz y desgraciado que soy; que no podré disfrutar de mis propios abrazos, que no podré desdoblarme y que la imagen que me encandila solo es un reflejo en una poza de montaña que se desvanece a cada intento de capturarla. Aunque, si bien no puedo abrazarme a mí mismo, aún me puedo observar a mí mismo, y así mi amor será correspondido, pues el joven que veo en las aguas me devuelve mi propia pasión.

Y así, Narciso se sentó junto al estanque, observándose con deseo a sí mismo y amando su reflejo más que a su propia vida. Mientras Narciso se sentaba allí, Eco bajó de su montaña y le vio. Aún estaba enfadada por su rechazo, pero ahora que estaba viendo cómo sus formas se habían echado a perder por sus desvelos, sintió pena por él.

— ¡Ay de mí! —suspiró Narciso, y Eco le respondió con su propio:

— ¡Ay de mí!

Sintiendo que la muerte se le acercaba, Narciso le dijo a su imagen:

— ¡Adiós!

— ¡Adiós! —respondió Eco.

Acto seguido, Narciso colocó su cabeza sobre la hierba, y su espíritu se fue a la Tierra de los Muertos. Las náyades y las dríadas del lugar lloraron su fallecimiento, y reunieron madera para hacer una pira funeraria para el hermoso joven. No obstante, cuando volvieron a la poza para levantar su cuerpo, vieron que se había desvanecido y que en su lugar había una flor blanca con una corola dorada que emitía un rico aroma. Y desde ese momento, estas flores también reciben el nombre de "narcisos".

Píramo y Tisbe

Esta historia de amor prohibido y de muerte trágica de los amantes fue la inspiración para el Romeo y Julieta *de Shakespeare, en el que el dramaturgo del Renacimiento inglés le dio un toque nuevo a un antiguo y conocido relato. En el original de Ovidio, los amantes son vecinos que viven pared con pared, y no se da ninguna razón por la que sus padres se oponen a su relación, ni hay consecuencias para sus muertes más allá del luto y de los ritos funerarios. Sin embargo, Shakespeare sube la apuesta dramática proponiendo una reyerta entre las dos familias. A causa de este conflicto, la relación de Romeo y Julieta tiene repercusiones más allá del descontento de sus padres, y la muerte de los dos amantes se convierte en el punto de partida para la reconciliación de los enemistados Montescos y Capuletos.*

En la ciudad de Babilonia vivían una vez dos familias en casas contiguas. Píramo era el hijo de una de las familias, y Tisbe, la hija de la otra. Las familias no tenían trato entre sí y llevaban vidas separadas, pero se veían a menudo por la ciudad, y sucedió que los dos jóvenes se enamoraron el uno del otro. Les pidieron permiso a sus padres para empezar a cortejarse, pero los padres rechazaron sus propuestas. Así pues, Píramo y Tisbe buscaron maneras de hablar el uno con el otro; unas veces, en silencio, mediante miradas robadas al pasar por la calle, o con palabras susurradas a través de un agujero en la pared común que separaba las casas de sus familias.

Una noche, en la que ambos pensaban que iban a morir por el mal de amores, se reunieron junto al agujero de la pared y planearon escapar de la ciudad, de manera que pudieran casarse libremente. Acordaron reunirse bajo una morera que había en un cementerio cercano esa misma noche, una vez que sus casas estuvieran sumidas en el sueño y que pudieran escapar sin ser vistos y sin hallar resistencia.

Tisbe logró llegar en primer lugar al árbol, y allí esperó con su velo de doncella sobre su cabeza y colocado frente a su cara, como le era propio. No obstante, mientras Tisbe esperaba, se le acercó una leona silenciosamente por el cementerio, con sus mandíbulas y cuello goteando con la sangre de una presa que acababa de comerse. La leona no tenía interés en la joven, pues iba de camino a un arroyo que corría por el borde del cementerio para saciar su sed tras su festín. Tisbe, sin embargo, no tenía manera de saber esto, por lo que al ver a la gran bestia huyó aterrorizada, dejando caer su velo en la huida.

Mientras Tisbe se encogía de miedo en una cueva cercana, la leona terminó de beber en el arroyo y se fue por donde había venido. La bestia se encontró el velo de Tisbe, y se puso a desgarrarlo con sus dientes y garras. Una vez hubo acabado de juguetear, la leona se marchó a su guarida, a las afueras de la ciudad.

No mucho después de esto, Píramo llegó al cementerio buscando a su amada. Se topó con los restos hechos trizas del velo de Tisbe, los cuales se hallaban por aquí y por allá, manchados con la sangre que llevaba colgando la leona de la mandíbula. Al observar a su alrededor, vio las huellas firmes del rastro de la leona sobre el blando suelo, y su corazón se estremeció, pues aquello era con toda seguridad la prueba de que una bestia salvaje había atacado a Tisbe y la había matado. Atormentado por la culpa al ver que Tisbe había muerto de esta manera, y sabiendo que no podía vivir sin ella, Píramo sacó su espada, la hundió en su corazón y tras extraer la hoja, se desplomó sobre el suelo.

Entretanto, Tisbe esperó dentro de la cueva hasta que recobró el valor, pues no quería encontrarse con la leona ni que Píramo pensara que le había sido desleal. Tisbe se deslizó en silencio por el cementerio y llegó hasta el árbol de su cita, y allí se encontró con el cuerpo de Píramo y con su espada junto a él. Tomó su cuerpo en sus brazos y lo llamó por su nombre. Píramo abrió sus ojos por última vez y murió mirando a su amada Tisbe.

Desconsolada, Tisbe tomó la espada y la hundió en su propio pecho, puesto que no podía vivir una vez su Píramo había muerto. Se tumbó a su lado en un abrazo, mientras su sangre se mezclaba con la tierra de debajo del árbol. Por la mañana, las familias salieron a buscar a sus hijos, y se quedaron horrorizados al hallarlos muertos por sus propias manos, yaciendo sobre la fría tierra del cementerio. Celebraron los ritos funerarios, y desde entonces, guardaron luto por los jóvenes Píramo y Tisbe. Hasta la muerte de los dos amantes, la morera había dado frutos blancos, pero tras aquella noche trágica, el árbol y toda su especie dieron frutos del color de la sangre.

Orfeo y Eurídice

Durante el Renacimiento, estudiosos, poetas y músicos por igual quedaban embelesados con los escritos del antiguo mundo griego y romano. Un nuevo género musical que surgió de este interés era la ópera, que al principio fue en parte un intento de recrear o imaginar cómo era el antiguo teatro griego. La primera de estas obras que se conserva completa es Eurídice*, compuesta en 1600 por Jacopo Peri, y se estrenó en Florencia durante la boda de María de Medici y Enrique IV de Francia. La siguiente ópera de esas características es la obra maestra de Claudio Monteverdi,* Orfeo*, que fue patrocinada por Francesco Gonzaga, heredero del ducado de Mantua, y se representó por primera vez en el palacio ducal durante el carnaval de 1606/1607. Desde entonces, otros muchos compositores han escogido esta historia de las* Metamorfosis *de Ovidio como tema, celebrando así tanto el poder del amor eterno como el de la música.*

Orfeo era el hijo del dios Apolo y la musa Calíope. Tenía grandes dotes para la música y el canto. Su padre le dio una lira de oro y le enseñó a tocarla, y su madre le instruyó en el arte de componer hermosos y emotivos poemas para ponerle letra a sus melodías. Tan grande era el poder de las canciones de Orfeo que podía amansar animales y hasta hacer que las mismas piedras se movieran y los ríos cambiaran su curso.

Sucedió un día que Orfeo divisó a una joven ninfa llamada Eurídice bailando en un prado, y se enamoró de ella. La cortejó durante un tiempo, y al final, acordaron casarse. Era una ocasión para la fiesta: todos sus amigos se reunieron para celebrar aquel dichoso día. Eurídice sacó a algunas de sus doncellas al campo para hacer coronas de flores para su pelo, mientras que Orfeo esperaba con sus amigos y recordaba cómo conoció a su amada y cantaba canciones sobre lo mucho que la amaba.

Mientras Orfeo y sus amigos estaban regocijándose de esta manera, una de las doncellas llegó corriendo hacia él con lágrimas deslizándose por su cara.

— ¡Oh, dolor! ¡Dolor por la bella Eurídice y por su amado Orfeo!

Todos se reunieron en torno a ella, pidiéndole que se calmara y que contara su historia, cualquiera que esta fuera.

Esto era lo que había sucedido: mientras Eurídice estaba en el prado buscando flores para su cabello, una serpiente venenosa la mordió en su tobillo, y se cayó al suelo dando un grito. Sus doncellas se reunieron a su alrededor y trataron de ayudarla, pero fue en vano: el veneno era demasiado fuerte, y Eurídice murió, diciendo solamente una última palabra, el nombre de su amado Orfeo.

El silencio invadió a los presentes. Nadie sabía qué decir. Qué horrible, horrible destino para el que debía haber sido un día tan feliz.

Los amigos de Orfeo trataron de consolarlo, pero estaba tan inmóvil como una piedra. La noticia de la muerte de su amada

Eurídice, y en el día de su boda, era demasiado para él. Sin embargo, al final dijo:

—Esto no va a quedar así. Me iré al Hades, a la Tierra de los Muertos, y con mi música, conmoveré al mismísimo dios del inframundo para que me devuelva a mi amada Eurídice.

Orfeo tomó su lira, y se encaminó directamente a las orillas del Estigio, el río frío y negro que separa la tierra de los vivos de la de los muertos. Orfeo llamó a Caronte, el Barquero de los Muertos, para que viniera y le llevara al otro lado del río. Caronte apareció enseguida, perchando su barca con un palo largo. Caronte miró a Orfeo y le dijo:

—No puedes cruzar en mi barca. Solo los muertos pueden tomar este camino.

Antes de que Caronte volviera a sumirse en la pesadumbre, Orfeo comenzó a cantar. Cantó una canción sobre cuánto amaba a su Eurídice, y cómo deseaba tenerla de vuelta, y cómo era de injusto que debiera morir en el día de su boda. Muy pronto, Caronte cambió de parecer movido por la pasión de la canción de Orfeo. Le permitió a Orfeo subirse a su barca y lo llevó al otro lado del río, a la Tierra de los Muertos.

Orfeo caminó con precaución y en silencio por el largo y oscuro túnel que sabía que le conduciría al salón del trono del Hades. Sin embargo, tuvo que parar en seco pronto: un perro gigante de tres cabezas le bloqueaba el paso, gruñendo y rechinando sus enormes dientes blancos, largos y afilados como la daga de un guerrero. Este era Cerbero, el guardián de las puertas del Hades, descendiente de los titanes Equidna y Tifón. Pero Orfeo no temía al gran perro: tomó de nuevo su lira y esta vez cantó una nana tranquilizadora, y pronto, los grandes ojos de la bestia comenzaron a cerrarse y esta se tambaleó y se cayó al suelo, profundamente dormida.

Orfeo pasó con precaución al lado del perro de tres cabezas, cantando todo el tiempo. Pronto llegó al salón donde el gran Plutón, el dios de los muertos, se sentaba al trono con su esposa, Proserpina.

— ¿Por qué has venido aquí? —le dijo Plutón a Orfeo.

—Vengo a reclamar a mi esposa, Eurídice, la cual me fue arrebatada injustamente el día de nuestra boda —dijo Orfeo.

—Los muertos, muertos están; y me pertenecen a mí y a mi reino. —dijo Plutón. —No voy a liberarla.

Orfeo no contestó, sino que comenzó a rasguear su lira. Acto seguido cantó una canción sobre lo mucho que amaba a Eurídice, cuánto habían estado esperando a vivir juntos, y cómo era de injusto que debiera morir un día que no debía haber sido sino de dicha para ella.

El dios de los muertos no se conmovió por esto, pero su reina sí que escuchó la súplica de Orfeo. Proserpina se volvió hacia su divino marido y dijo:

—Mi señor, seguro que hasta tu corazón no ha podido resistirse a sentir pena por Orfeo. Los muertos, muertos están, sí, y están bajo tu poder, ¿pero no quiere decir esto también que puedes liberarlos de tu reino si lo deseas? Piensa en lo que habría supuesto para ti si me hubieran sustraído de tu lado para toda la eternidad. Te lo ruego, escucha la súplica de este hombre y concédele lo que te pide.

Plutón no pudo rechazar lo que Proserpina le pedía, por lo que se volvió hacia Orfeo y dijo:

—Muy bien. Liberaré a Eurídice para ti con una condición: no podrás girarte para mirarla hasta que los dos hayáis abandonado mi reino y os halléis de nuevo en la tierra de los vivos.

Orfeo aceptó de grado esta condición y comenzó su camino de regreso al mundo de arriba. Era un viaje largo, frío y oscuro, y no podía oír a nadie tras de sí. ¿Y si Plutón le estaba engañando? ¿Y si no le iba a devolver a Eurídice? La tentación de girarse y mirar era insoportable. Orfeo se contuvo todo el tiempo que atravesó los salones de los muertos. Se contuvo todo el tiempo que atravesó el largo túnel que le llevaba a la tierra de los vivos, cuya luz ya podía ver brillar ante él. Se contuvo hasta que se encontró pisando la hierba, bajo el sol, y fue en ese momento que ya no pudo aguantarse: se giró para ver si Eurídice estaba detrás de él y ¡sí! ¡Allí estaba ella! Plutón había cumplido la palabra que le había dado. La sombra de Eurídice le había seguido todo el camino desde la Tierra de los Muertos.

Sin embargo, Orfeo se había dado la vuelta demasiado pronto, ya que la propia Eurídice aún no había salido al sol con su amado Orfeo. Orfeo se giró y la vio, y su corazón dio un brinco, pero justo mientras lo hacía, la sombra de Eurídice volvió a ser absorbida por la oscuridad para no volver a ver jamás la tierra de los vivos.

La pena de Orfeo era tan grande que no podía siquiera cantar un lamento por su esposa perdida. Vagabundeaba llorándola, sin hablar palabra, sin tañer una sola cuerda de su lira. Y así caminó, hasta que un día, un grupo de bacantes, mujeres salvajes que servían al dios del vino, le encontraron sentado junto a un río.

— ¡Toca una canción para nosotras! —dijo una.

— ¡Sí! ¡Una canción de fiesta, para que podamos bailar! —dijo otra.

Pero Orfeo no les contestó. Esto enfureció tanto a las bacantes, que se abalanzaron sobre el hombre de luto y lo despedazaron miembro a miembro. Tiraron su cabeza y su lira al río mientras sus labios aún pronunciaron una última palabra: "Eurídice". Los dioses recuperaron su lira y la colocaron en el cielo como la constelación de Lira, mientras que su sombra descendió a la Tierra de los Muertos, donde por fin se reunió con su amada esposa y donde aún viven juntos en el Elíseo.

Bibliografía

Abbott, Jacob. *History of Romulus.* Philadelphia: Henry Altemus Co., 1900.

Apollodorus [Pseudo-Apollodorus]. *The Library.* Traducción de James George Fraser. London: William Heinemann, Ltd., 1921.

Apollonius Rhodius. *Argonautica.* Traducción de R. C. Seaton. Cambridge, MA: Harvard University Press, 1912.

Barber, Elizabeth Wayland. *Women's Work: The First 20,000 Years-Women, Cloth, and Society in Early Times.* New York: W. W. Norton & Co., 1994.

Carter, Tim, and Geoffrey Chew. "Monteverdi [Monteverde], Claudio." *Grove Music Online.* 18 June 2018. http://www.oxfordmusiconline.com.proxy-tu.researchport.umd.edu/grovemusic/view/10.1093/gmo/9781561592630.001.0001/omo-9781561592630-e-0000044352.

Davidson, Gladys. *Wonder Tales from the Greek & Roman Myths.* London: Blackie & Son, Ltd., [1920].

Foster, Benjamin Oliver, trans. *Livy in Fourteen Volumes.* Vol. 1. Cambridge, MA: Harvard University Press, 1919.

Gardner, Jane F. *Roman Myths.* London: British Museum Press, 1993.

Grant, Michael. *Roman Myths.* New York: Charles Scribner's Sons, 1971.

Guerber, Hélène Adeline. *The Myths of Greece and Rome: Their Stories, Signification, and Origin.* London: G. G. Harrap, [1907].

Hanson, Charles Henry. *Stories of Old Rome: The Wanderings of Æneas and the Founding of Rome.* London: T. Nelson & Sons, 1890.

Nardo, Don. *Roman Mythology.* Detroit: Lucent Books, 2012.

Oldfather, C. H., trans. *Diodorus of Sicily in Twelve Volumes.* Volume 2: *Books II (continued), 35-IV, 58.* London: William Heinemann, Ltd., 1968.

Ovid. *Metamorphoses.* Trans. Frank Justus Miller. 2 vols. Cambridge, MA: Harvard University Press, 1916.

Perrin, Bernadotte, trans. *Plutarch's* Lives. Vol. 1. London: William Heinemann, 1914.

Porter, William V., and Tim Carter. "Peri, Jacopo." *Grove Music Online.* 18 June 2018. http://www.oxfordmusiconline.com.proxy-tu.researchport.umd.edu/grovemusic/view/10.1093/gmo/9781561592630.001.0001/omo-9781561592630-e-0000021327.

Seneca. "Phaedra." In *Tragedies,* traducción de Frank Justus Miller. Cambridge, MA: Harvard University Press, 1917.

Smith, R. Scott and Stephen M. Trzaskoma, trad. y ed., *Apollodorus'* Library *and Hyginus'* Fabulae: *Two Handbooks of Greek Mythology.* Indianapolis: Hackett Publishing Co., 2007.

Usher, Kerry. *Heroes, Gods & Emperors from Roman Mythology.* New York: Schocken Books, 1983.

Valerius Flaccus. *Argonautica.* Traducción de J. H. Mozley. Cambridge, MA: Harvard University Press, 1928.

Vergil. *The Aeneid.* Traducción de Sarah Ruden. New Haven: Yale University Press, 2008.

Zimmern, Alice. *Old Tales from Rome.* Chicago: A. C. McClurg & Co., 1906.

Vea más libros escritos por Matt Clayton

Milton Keynes UK
Ingram Content Group UK Ltd.
UKHW010304260524
443077UK00003B/33